ZERO
TO
ONE

NOTES ON STARTUPS,
OR HOW TO BUILD THE FUTURE

从0到1

开启商业与未来的秘密

［美］ **彼得·蒂尔**（Peter Thiel） ◎著
布莱克·马斯特斯（Blake Masters）

高玉芳◎译

中信出版社 · CHINA**CITIC**PRESS · 北京 ·

图书在版编目（CIP）数据

从 0 到 1：开启商业与未来的秘密 /（美）蒂尔,（美）马斯特斯著；高玉芳译. —北京：中信出版社, 2015.1（2017 . 1 重印）
书名原文：Zero to One: Notes on Startups, or How to Build the Future
ISBN 978-7-5086-4971-9
I. ①从… II. ①蒂… ②马… ③高… III. ①企业管理 IV. ①F270
中国版本图书馆 CIP 数据核字（2014）第 291974 号

从 0 到 1——开启商业与未来的秘密

著　　者：[美] 彼得·蒂尔　[美] 布莱克·马斯特斯
译　　者：高玉芳
策划推广：中信出版社（China CITIC Press）
出版发行：中信出版集团股份有限公司
　　　　　（北京市朝阳区惠新东街甲 4 号富盛大厦 2 座　邮编　100029）
　　　　　（CITIC Publishing Group）
承 印 者：北京通州皇家印刷厂

开　　本：880mm×1230mm 1/32　　　　　印　　张：9　　　　字　　数：110 千字
版　　次：2015 年 1 月第 1 版　　　　　　印　　次：2017 年 1 月第 29 次印刷
京权图字：01-2014-6948　　　　　　　　 广告经营许可证：京朝工商广字第 8087 号
书　　号：ISBN 978-7-5086-4971-9 / F · 3313
定　　价：45.00 元

NOTES ON STARTUPS,
OR
HOW TO BUILD THE FUTURE

推荐语

当一个有冒险精神的人写书了，务必要读一读。如果作者是彼得·蒂尔，就要读两遍。但是保险起见，请看三遍，因为《从0到1》绝对是经典之作。

——纳西姆·尼古拉斯·塔勒布（Nassim Nicholas Taleb），著有《黑天鹅》

《从0到1》传达了前所未见、让人为之一振的新观念，教导人们如何在世界上创造价值。

——马克·扎克伯格（Mark Zuckerberg），Facebook（脸谱网）首席执行官

彼得·蒂尔打造了多家异军突起的公司，《从0到1》展现了他到底是如何做到的。

——埃隆·马斯克（Elon Musk），特斯拉汽车（Tesla）首席执行官

《从 0 到 1》是指导大企业不断改进提升的重要手册，也是新创企业家们的心法秘籍。读这本书吧，接受彼得·蒂尔的挑战，开创超乎期待的事业。

——杰夫·伊梅尔特（Jeff Immelt），通用电气公司（GE）董事长兼首席执行官

《从 0 到 1》是每个想要创业与正在创业的人，都必须优先阅读的一本书，绝对不可错过。

——马克·安德森（Marc Andreessen），网景（Netscape）联合创始人

这本书是每个人都必读的第一本，也是最后一本商业著作。在充满 0 的世界，这本书是唯一的 1。

——尼尔·斯蒂芬森（Neal Stephenson），畅销书作者

彼得·蒂尔是成就非凡的创业家和投资人，他也是这个时代令人敬佩的思想家。阅读《从 0 到 1》，你就能一探他为何能够引领思潮。

——泰勒·考恩（Tyler Cowen），畅销书作者、经济学教授

《从 0 到 1》写得清晰、理性又实际。不只是企业家，每个不满于现状、对世界前景有想法的人都应该读一读这本书。

——《经济学人》

蒂尔在《从 0 到 1》中融会贯通了他广泛的知识，综合了对哲学、历史学、经济学、人类学等多个学科独具特质的理解，可以说是当今美国最顶尖的作品。

——《财富》杂志

《从 0 到 1》不同于一贯的正统观点，它辛辣有力，为读者创立新事业提供了坚实的指导。

——《科克斯书评》

这可能是迄今为止最好的商业书。清晰如散文、精炼如格言，蒂尔打造了一本表述完美、发人深省的商业手册。

——《大西洋月刊》资深编辑德里克·汤姆森

这是一本把普通人变成创业者的进化指南。

——牛文文，《创业家》杂志社社长、创始人

改变世界的逆行者

2014 年 11 月上旬，我去爱尔兰参加了一个名为 Web Summit 的网络峰会活动。之所以不辞劳苦去那里，是因为邀请我的组织者说，他们安排了我跟彼得·蒂尔同台演讲。这么近距离地接触硅谷创投教父的机会，我岂能错过！

爱尔兰去是去了，但因为组织者的原因，我除了在舞台上远远地看着彼得·蒂尔演讲之外，跟他并无亲密接触。但我也并不遗憾，因为，彼得·蒂尔在我眼中已经超越了一个具体的人，而是一种精神和象征。他象征着美国异想天开、特立独行但又脚踏实地、从无到有的创新精神。这种人，如同乔布斯，死了依然活着，活着又何必着急见面？

随着PayPal的创办，彼得·蒂尔开始登上硅谷创新的舞台中央。在PayPal卖掉之后，他和他的同事们——包括埃隆·马斯克在内的人称"PayPal黑帮"的一群哥们儿，重新出发，做特斯拉的做特斯拉，办领英（LinkedIn）的办领英，而彼得·蒂尔选择做投资，创办了Founders Fund（创始人基金），开启了硅谷投资界的新格局。

彼得·蒂尔闯入硅谷投资界，本身就以一个颠覆者的形象出现。他有一句非常著名的对硅谷投资者的批评："We wanted flying cars, instead we got 140 characters."（我们需要能飞的汽车，但结果却得到了140个字符——指技术含量不高的推特。）他批评其他VC（venture capital，风险投资）为了谋求短期快速的利润，只敢投资轻量资本的创业，导致人类几十年以来在比特层面进步很大（互联网），但在原子层面进步很小（尖端科技）。他的标志性投资，做的是探索宇宙的火箭、取代人类的机器人、高层算法的人工智能、治疗癌症的药物、虚拟现实的沉浸设备等等。这里面有一些行业现在已经逐渐升温甚至炙手可热，但在当年彼得·蒂尔投资的时候是所有VC避之唯恐不及的重资产高风险行业。

改变世界的逆行者

有一个笑话说，如果你发现路上所有的车都在违规逆行，那大概是你自己开反了。而彼得·蒂尔就像这样一辆车，他不仅一往无前、无所畏惧地逆向而行，还让路上所有其他的车困惑和怀疑是不是自己开反了方向。这就是为什么彼得·蒂尔的Founders Fund在硅谷资金规模并不是最大，历史也并非最长，但它的影响力却超越了国界与时代，直接照亮了世界与未来。

在彼得·蒂尔所有被人称道的重大决策里，最让我敬佩的是他创办了旨在鼓励高中和在校大学生休学创业的"20 under 20"项目。这个项目，每年选出20~25个20岁以下的青年天才，两年之内给他们10万美元去做他们自己最想做的创业项目。这个项目的官网上写着一句话：Some ideas can't wait.（有些创意实在不能坐等！）——确实，假如比尔·盖茨或马克·扎克伯格等到从哈佛毕业再创业的话，人类就不会有微软和Facebook，或微软和Facebook就不是比尔和马克的了！

即使在美国这个崇尚自由的国家，彼得·蒂尔推出的这个"20 under 20"项目还是引发了巨大的争议。人们指责这个项目鼓励学生追求商业成功而偏离学业。哈佛大学前任校长萨默斯甚至说这是"10年来导向性最错误的慈善项目，它旨在贿赂学生抛弃学校教育"（I think the single most misdirected bit of philanthropy in this decade is Peter Thiel's special program to bribe people to drop out of college）。

但是，这个项目成立4年来，在美国以及世界各地引发了同样巨大的积极反响。麻省理工学院（MIT）在项目成立之初就热烈祝贺它的两个学生入选，并鼓励他们想回来随时回来。彼得·蒂尔要证明的是：人们除了高等教育之外，还有其他的成功路径。

在该项目的网站首页，彼得·蒂尔引用马克·吐温的一句话来标明他的哲学：I have never let my schooling interfere with my education.（我从来没有让上学这件事干扰我的教育。）通过这个项目（后来改名为"蒂尔奖学金"），彼得·蒂尔向传统教育和人才观发起了挑战。可以想象，假以时日，从这个项目里必将涌现出一批优秀的公司和著名的企业家，将在许多方面彻底改变人们对教育、对成长、对创业以及对人生的某些固有态度，推动社会更快速地进步，推动人生更自由地发展。彼得·蒂尔奉献给世界的，将不仅是一批伟大的公司和科技，还包括他这种站在人类发展高度来考虑问题的思想。

改变世界的逆行者

作为中国天使投资人，我密切关注着彼得·蒂尔的各种投资和言论，并获益匪浅。他的这本新书《从 0 到 1》在国外出版前，我就有幸先睹为快，看到了朋友从美国寄来的英文文稿。中信出版社及时推出中文版，对中国投资人、创业者、政府机构、教育机构，都是一件令人喜悦和激动的事情，希望彼得·蒂尔的创投思想与实践被更多中国读者所熟知。我也一直在考虑，在中国推动成立一个类似"蒂尔奖学金"的项目——也许考虑到中国特色，这个项目必须改名为"22 under 22"（ 22 岁是大学毕业的年龄 ），一个以应届毕业生为主的创业奖励项目，想来不会引发一个馒头之类的血案吧？

我以为我是一个思想领先的人……没想到，中国教育部在 2014 年 11 月颁布了支持大学生休学创业的政策。无论这个政策出台的背景是什么，彼得·蒂尔对青年人创业的强劲推动和支持，显然是这个波及全球的创业大合唱里最强劲的声音，激发了世界各地的创业潮，鼓舞了无数中国青年创业者。

尽管取得了惊人的进步，但中国的创投事业还有很长的路要走。一个无奈的事实是：即使全球知名度已经相当高的阿里、腾讯、小米和京东，它们的产品在中国之外的用户依然微不足道。

我在为彼得·蒂尔新书出版而高兴之时，不禁在想：中国何时才能诞生像Facebook、谷歌、苹果、特斯拉这样征服全球的公司和产品呢？

我希望这样的时刻早日到来。也许那个时候，彼得·蒂尔就会常常来中国参加各种网络峰会的活动。到时候，我会让部下给他发个请柬，说来中国吧，可以跟徐小平同台演讲，然后放他鸽子……

徐小平，真格基金创始合伙人

写于2014年圣诞夜

"道生一"的商业智慧

今天，企业短兵相接地展开激烈的竞争。市场仿佛一块有限的饼，当你不能勇猛地切得比别人更大时，你就开始落后，最后甚至出局。于是企业之间开始比拼速度，比拼执行，比拼谁能更快更好地复制和翻版新潮产品或商业模式。纵然如此努力，大多数企业仍然逃不脱靠微薄利润度日乃至亏损被淘汰的命运。

在彼得·蒂尔看来，这就是"从1到n"的宿命。走在这条路上的企业厮杀在红海里，它们奉行的生存法则是从竞争对手那里夺食，出路就是足够勇猛，以在惨烈的竞争中做到第一。彼得·蒂尔认为，这种只会死盯着"有"，而局限于此消彼长的零和游戏实在不怎么高明。他推崇的是"从 0 到 1",或者说"从无到有","道生一"的智慧。这通过创新,给人类带来了更多可能性,创造新价值,让整个蛋糕变得更大。

20 世纪中期技术高速发展,仅在 1969 年就发生了两件大事:人类登上了月球和互联网诞生。于是大家期望这个世界发生很多的"从 0 到 1",比如能源便宜得压根儿不用计量,能到月球上度假等等。然而这些期望都落空了,在彼得·蒂尔看来,唯一获得大幅度改善的是计算机和通信的发展。他常感叹:我们曾经想要会飞的车,如今得到的却是 140 个字符(推特等新媒体以 140 字符为限)。

从 0 到 1,或者说从无到有,意味着企业要善于创造和创新,通过技术专利、网络效应、规模经济、品牌等形成壁垒,从而实现质的垂直性层级跨越,由此开辟一个只属于自己的蓝海市场而成为这个市场的唯一,这样的垄断足可让企业安享丰厚的利润。

即便对整个商业社会而言,这样的模式也开辟了非零和游戏的疆域,着眼创造新价值,把市场的饼做大,这才是最终商业社会乃至人类社会的救赎之道。而与之相对,从 1 到 n 只是复制,创造不了新价值,甚至可能沦为遍地抄袭的山寨模式。

"道生一"的商业智慧

"从 0 到 1"与"从 1 到 n"的对比

从 0 到 1	从 1 到 n
创新	复制
质变	量变
垂直	水平
蓝海	红海
垄断	竞争
唯一	第一
非零和	零和
厚利	薄利

以此为维度去审视当代的企业，我们可以把企业的经营境界分为三层。

第一层境界：企业只是制造满足市场需求的产品，只要有原型，工业流水线可以让产品大量地复制生产出来。但产品有生命周期，市场有饱和度，利润空间也有限，这就是典型的从 1 到 n 的过程，只是一个量变的过程，只是企业追求赢利的过程。

第二层境界：企业创造了良好的组织基因，因而可以与时俱进地不断进化，实现纵向的传承，企业最好的产品就是企业自身。比如 IBM 公司，早期创立时主要业务是商用打字机，昔日和今日的产品完全风马牛不相及。但创建百余年来，IBM 建立的文化和制度基因是不断传承的，这推动IBM不断进化，持续创造商业的辉煌。不过这样的纵向传承仍然还是在企业内部，仍然属于从1到n的过程。

第三层境界：企业创造了社会基因或者思想基因，这可以跨越企业的边界，影响到整个行业乃至社会，实现横向的传承。比如苹果，它的成功远远超过了电脑或者手机单纯产品的范畴，影响也绝不仅仅限于苹果公司内部。甚至可以说，我们这个时代深深打上了苹果的烙印，这就是从0到1，企业创造的基因影响了社会文化和观念，乃至改变社会进程，这就是质变。

从0到1的重要性也不见得被所有思想大师所重视。如最近非常热门的《21世纪资本论》，在我看来，托马斯·皮凯蒂（Thomas Piketty）的论述非常精彩，但其中却有一个不足，就是他忽略了技术创新在经济发展中的意义。经济发展并不是一个零和游戏，不是说市场上有玩家的发展速度超过GDP就一定会有其他玩家受损。没有考虑技术创新的作用而单纯讨论公平问题是有失偏颇的。托马斯·皮凯蒂的理论在从1到n的世界里可以成立，但他忽略了从0到1给人类带来的新的可能性和创造的新价值。

这也类似詹姆斯·卡斯（James Carse）对有限游戏和无限

"道生一"的商业智慧

游戏的区分，有限游戏在边界里玩儿，是一种零和游戏，有确定的开始和结束，玩家只是在既定规则下争做赢家，有人赢就一定有人输。但无限游戏玩儿的就是边界，是一种非零和游戏，没有确定的开始和结束，玩家可以不断加入，新价值被不断创造出来，游戏因而可以不断延续。

值得关注的是，这本《从 0 到 1》绝非学术讨论或者思想大师们的论战，它自问世起影响就迅速超越了投资圈，在美国亚马逊图书畅销总榜上跻身前列。我在硅谷和彼得·蒂尔共进早餐聊起这本书时，他也流露出对这本书寄予厚望，期待通过亲身实战经验和心得的分享，真正推动这个世界，当然包括当前山寨泛滥的中国有更多的"从 0 到 1"。

《从 0 到 1》的成功，不仅仅在于彼得·蒂尔深入剖析了对于当代企业突围竞争红海至关重要的"大道"，更在于这本书凝结了他身经百战的智慧和经验精华。彼得·蒂尔是赫赫有名的"PayPal黑帮"教父级人物，也是曾在谈判桌两边都坐过的人，（曾做过创业者融资，也做过投资者），他是 Facebook 的第一个外部投资者，仅这项投资就让他赚得上千倍的回报。

之所以被冠以"黑帮"的名头，是因为 PayPal 这个深具"从

0 到 1"基因的支付公司，走出了许多商业领袖，衍生了不少名震商界的公司。如领英网的联合创始人里德·霍夫曼（Reid Hoffman），YouTube 的联合创始人陈士骏，继乔布斯之后硅谷新的一位创新领袖，太空探索技术公司（SpaceX）、特斯拉的掌门人埃隆·马斯克等等。我和唐彬从硅谷回国创立易宝支付，也正因为深受"PayPal黑帮"这种从 0 到 1 基因的影响。2013 年，我参与央视大型纪录片《互联网时代》的制作，也专门造访了埃隆·马斯克、里德·霍夫曼和陈士骏等，他们正是互联网史上"从 0 到 1"的典范。

　　这本《从 0 到 1》要勾画的是"从 0 到 1"的可复制基因，因此它的意义不仅在于提醒我们"从 0 到 1"的重要性，而更重要的是分享彼得·蒂尔亲身实践过的可操作方式和可行路径，相信《从 0 到 1》在中国的问世，一定能给中国诸多拥有梦想，不甘于山寨模式而期待通过创造新价值去把握明天的创新者、创造者、创业者带来全新的启发和前行的动力。

余晨，易宝支付联合创始人

ZERO
TO
ONE

NOTES ON STARTUPS,
OR
HOW TO BUILD THE FUTURE

目　录

ZERO TO ONE

NOTES ON STARTUPS,
OR
HOW TO BUILD THE FUTURE

前　言

　　商业世界的每一刻都不会重演。下一个比尔·盖茨不会再开发操作系统，下一个拉里·佩奇或是谢尔盖·布林不会再研发搜索引擎，下一个马克·扎克伯格也不会去创建社交网络。如果你照搬这些人的做法，你就不是在向他们学习。

　　当然，照搬他人的模式要比创造新东西容易。做大家都知道如何去做的事，只会使世界发生从 1 到 n 的改变，增添许多类似的东西。但是每次我们创造新事物的时候，会使世界发生从 0 到 1 的改变。创新的行为是独一无二的，创新发生的瞬间也是独一无二的，结果新奇的事物诞生了。

　　美国的公司，如果不在艰难的创新上进行投资，不管现在有多挣钱，将来都会以失败而告终。如果我们对已有业务进行调整，获取了它能给予我们的一切，会怎样呢？尽管听起来不可能，但答案似乎比 2008 年的危机更糟糕。今天的"最佳方法"可能会把我们引入死胡同，而最佳途径是未经尝试的新路径。

在这个世界上，无论私营还是公共机构，管理体系都极为庞大，寻求新的途径就像是希望奇迹出现一样。事实上，如果美国的工商企业想要成功，需要成千上万个奇迹的出现，这实在是太让人沮丧了，但有一件重要事情除外：人类之所以有别于其他物种，是因为人类有创造奇迹的能力。我们称这些奇迹为科技。

科技是神奇的，因为它能让我们事半功倍，将我们的基础能力提升到一个新的高度。其他动物受本能的驱使可以建造蜂巢等，但是，只有人类能够创造新事物，想出新方法。人类决定建造什么并非基于大自然赋予人类的基本选项，而是通过创造新科技，重新改写世界历史。这是我们教给小学二年级学生的基本常识，但是，在这个不断重复已有成果的世界中，它却很容易被人遗忘。

《从 0 到 1》一书是关于如何创建创新公司的，主要基于本人作为 PayPal 和帕兰提尔公司（Palantir）创始人，以及

Facebook和太空探索技术公司等上百家初创公司投资者的经验写就。虽然我注意到许多模式，书中也有所涉及，但是本书绝非成功秘籍。创业秘籍并不存在，因为任何创新都是新颖独特的，任何权威都不可能具体规定如何创新。事实上，我注意到一个最为重要的模式：成功人士总能在意想不到的地方发现价值，他们遵循的是基本原则，而非秘籍。

此书源于 2012 年我在斯坦福大学所教授的一门关于创业的课程。大学生可能娴于几项专业技能，但是许多人从未学过在广阔的世界中如何应用这些技能。我教授此课程的主要目的就是帮助学生超越学术专业设定的路径，开创广阔的未来。我的一个学生布莱克·马斯特斯记下了详细的笔记，在校内外广为传阅。在《从 0 到 1》一书中，我和他一起对笔记进行了修改，以适合更广泛的读者阅读。相信创新的未来不会只限于斯坦福大学或者硅谷。

ZERO TO ONE

NOTES ON STARTUPS,
OR HOW TO BUILD THE FUTURE

—————

第 1 章

未来的挑战

每当我面试应聘者时，都会问这样一个问题："在什么重要问题上你与其他人有不同看法？"

这个不绕弯子的问题听上去很容易回答，其实不然。它挑战智力，因为每个人在学校接受的知识都是已被肯定的，一定被人赞同。它也挑战心理，因为每个努力去回答的人都必须说一些他们明知道并不为众人认同的看法，这需要勇气。出彩的回答很少，相对于智慧，这些想法缺少的更是勇气。

通常，我听到的回答都是这样的：

"我们的教育体制存在弊端，亟待改革。"

"美国是非凡的。"

"世界上不存在上帝。"

这些回答都不好。第一和第二个陈述可能是对的，但有许多人已经表示赞同了。而第三个只简单套用了常见辩论中一方的观点。好的回答应该按照下面这种模式:"大多数人相信 X,但事实却是 X 的对立面。"我之后会在本章给出自己的回答。

那么,这个反主流的问题和未来有什么关系呢?从小处看,未来只是还没有到来的时刻的集合。但是真正使未来如此独特和重要的并非因为未来没有发生,而是未来的世界会与此刻不同。这样看来,如果我们的社会在之后 100 年都没有发生变化,那未来就在 100 多年之后。如果在之后 10 年世界改天换地,那未来就触手可及。没有人能精准地预测未来,但我们知道两件事:世界必然会变得不同,但变化必须基于当今的世界。针对这个反主流问题的多数回答都是对现在的不同看法,而好的回答应该尽可能地使我们看到未来。

从 0 到 1:进步的未来

我们期待的未来是进步的。进步可以呈两种形式。第一,水平进步,也称广泛进步,意思是照搬已取得成就的经验——直接从 1 跨越到n。水平进步很容易想象，因为我们已经知道了它是什么样。第二，垂直进步，也称深入进步，意思是要探索新的道路——从 0 到 1 的进步。垂直进步较难想象，人们需要尝试从未做过的事。如果你根据一台打字机造出了 100 台打字机，那就是水平进步。而如果你有一台打字机，又造出了一台文字处理器，那你就取得了垂直进步。

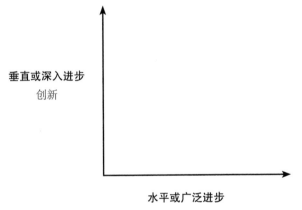

图 1-1　两种进步

从宏观层次看，可用一个词代替水平进步，即全球化——把某地的有用之物推广到世界各地。中国是全球化的范例，它的 20 年计划就是成为今天的美国。中国已经直接复制了发达国家的有用之物：19世纪的铁路、20世纪的空调，甚至整个城市。也许这种复制可以使中国在建设道路上少走几步——比如，不用安装陆上线路，直接实现无线通信，但是，这依然是在复制。

垂直进步也可以用一个词来概括，即科技。近数十年信息技术的迅猛发展，已经给硅谷冠上了"科技之都"之名，但科技不仅限于计算机技术。任何新方法，任何可以使事情更易完成的方法都是科技，这才是对科技的正确理解。因为全球化和科技是不同方式的进步，它们可能同时存在，也可能存在其中之一，或是都不存在。例如，1815~1914年间，科技迅速发展，全球化也快速蔓延。从第一次世界大战到1971年基辛格访华，科技发展快，

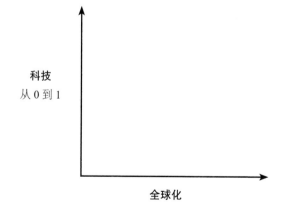

图1-2　科技与全球化

但全球化速度缓慢。从 1971 年开始，全球化加快，而科技发展只局限于信息技术领域。

在全球化的时代，不难预见，在未来数十年中世界会更加一体化，更加趋同。甚至连日常用语都显示出我们在某种程度上认为科技时代已经结束，例如所谓的发达国家与发展中国家的划分，表明"发达"国家已经获得了能够获得的一切成就，而落后的发展中国家只需要奋力赶上。

但我并不认同。对于上文的反主流问题，我的回答是：大部分人认为世界的未来由全球化决定，但事实是——科技更有影响力。没有科技创新，也许中国能源产量在未来 20 年会加倍，但造成的空气污染同样也会加倍。如果印度的亿万家庭也都像现在的美国家庭那样生活——只用现代工具，结果也将是对环境造成毁灭性的破坏。如果全世界都用同一种旧方法去创造财富，那么创造的就不是财富，而是灾难。在资源稀缺的今天，丢掉科技创新的全球化不会长久。

历史进程中从不会自然出现新科技。我们的祖先生活在一成不变的零和社会，在那个社会中，成功意味着从别人手中掠夺财物占为己有。他们极少去创造新的财富来源，长远来说会导致物资匮乏，人们生活艰难。从原始农业生活开始，到中世纪有了风车、16世纪发明了天体观测仪，人类社会上万年的时间仅有零星的进步，直到18世纪60年代蒸汽机出现再一直到1970年左右，现代世界才突然经历了一连串的科技进步。最后的结果是，我们继承的社会比之前任一代人所能想象到的都更富足。

没有一个世代像20世纪60年代末我们的祖辈和父辈那样希望这种进步可以持续，他们希望一周只工作4天，能源便宜到不需要计量，度假可以去月球，但这些只是想象。智能手机使我们忽略了周围，也使我们忽视了周围的事物有多陈旧：只有电脑和通信自20世纪中叶取得了巨大发展。但这并不是说我们父母那一代对更好未来的期待是错的——他们只是错误地认为这种美好的未来会自己到来。今天我们面对的挑战是创造出新科技，使21世纪比20世纪更和谐、更繁荣。

创业思维

初创公司往往是新科技的诞生地。从政界开国元勋到科学界的英国皇家学会，到商界的飞兆半导体公司的"叛逆八徒"，人们肩负着让世界更美好的使命而聚成小团体。对"小团体"这种现象最简单的解释很消极：因为在大组织中发展新事物很难，而单打独斗更是难上加难。官僚阶层行动迟缓，效率低下，既得利益者不愿意冒险。在功能极端失调的组织中，要想获得晋升机会，告诉别人你在工作比挽起袖子做事更重要。（如果你所在的公司就是这样，你应该现在就辞职。）从另一个极端说，如果舍弃团体，一个孤独的天才可能会创造出经典的文学艺术作品，却不能创造出整个产业。初创公司遵守这样一个原则，你需要和其他人合作来完成工作，但也需要控制规模，使组织有效运转。

从积极的角度说，一个初创公司就是你能说服的最大数量的一群人，一起规划并铸就新的未来。一个新公司最重要的力量是新思想，新思想甚至比灵活性更重要，而规模小才有思考的空间。这本书提出了在创新之路上获得成功必须要解答的问题：它并不是一本指南，也不是单纯提供知识，而是一场思维运动。而恰恰每个初创公司都不得不做这场思维运动：质疑现有观念，从零开始重新审视自己所从事的业务。

ZERO TO ONE

NOTES ON STARTUPS,
OR HOW TO BUILD THE FUTURE

———————

第 2 章

像 1999 年那样狂欢

第1章提到的反主流问题——在什么重要问题上你与其他人有不同看法？这个问题其实很难直接回答。我们可以一步步入手，从基本的问题开始——相对于几乎没有人认同的事实，大家都赞同的观点是什么？尼采曾在精神错乱前写道："个人发生精神错乱很少见，但对群体、政党、国家、时代而言，精神错乱却很普遍。"如果你能识别出那些不切实际的大众观点，你就能看到隐藏在这些观点背后的反主流事实。

思考一个基本命题："企业的目的就是赢利，不是赔钱。"这一点对任何有思想的人来说都是显而易见的。但是在 20 世纪 90 年代后期，人们并不能清楚地领悟到这一点，当时的任何损失，都可以视为对未来发展所做的投资。传统的"新经济"观念将网站页面浏览量视为比利润更权威、更着眼未来的财务衡量标准。

其实当我们回头看时会发现，传统观念通常都是武断而错误的；每一个错误的传统观念都像破灭的泡沫，但是泡沫破灭了，它给世界带来的改变却没有消失。90 年代的互联网热潮是自 1929 年经济危机以来最大的泡沫，人们从中获得的教训决定了，也扭曲了人们今天对科技的所有观念。要想对此有一个清楚的认识，我们第一步要做的就是问自己对过去了解多少。

20 世纪 90 年代的互联网热潮

20 世纪 90 年代在我们的印象中一片繁荣，前景看好，而到了年代末互联网却由盛转衰，不过那之前也并非像我们追忆中的那么让人乐观。在 90 年代末那 18 个月（1998 年 9 月~2000 年 3 月）里，我们完全沉浸在网络的世界里，将全球化发展抛到了九霄云外。

1989 年 11 月柏林墙被推倒，90 年代伊始就令人精神振奋。但是好景不长，1990 年中，美国经济陷入低迷。从技术上讲，

第2章
像1999年那样狂欢

1991 年 3 月，衰退已结束。然而经济的恢复速度缓慢，失业率仍不断上升，直到来年 7 月。制造业也没能完全恢复，而向服务型经济的转变也漫长而痛苦。

1992~1994 年底的美国，弥漫着令人抑郁的氛围。美国士兵死在索马里摩加迪沙的画面在电视新闻中循环播放。工作机会流向墨西哥，加深了美国社会对全球化和美国竞争力的忧虑。1992 年，这股消极暗潮把时任美国第 41 任总统的老布什拉下了台，并为罗斯·佩罗赢得近 20% 的民众选票——这是自 1912 年西奥多·罗斯福后，除共和党和民主党之外的"第三党"候选人的最好表现。不管是涅槃乐队的垃圾摇滚狂潮，还是人们对海洛因的痴迷，所反映的都不是希望和信心。

那时的硅谷也是一片萧条，日本眼看就要赢得半导体之战。互联网尚未起飞，一方面因为它的商业用途受到限制（直到 1992 年末），另一方面是缺少好用的浏览器。1985 年我在斯坦福大学时，发现大学中经济学专业最热门，而非计算机科学。对大多数在校生来说，科技专业另类又没有前景。

互联网改变了这一切。马赛克浏览器在 1993 年 11 月由官方发布，大众有了上网的途径。马赛克后来更名为网景，并在

1994 年后期发布了自己的浏览器——导航者（Navigator）。导航者迅速被接受，1995 年 1 月开始，从占浏览器市场 20% 到占 80%，只用了不到一年的时间。甚至在 1995 年 8 月公司还没有赢利的时候，网景就首次公开募股。在 5 个月内，网景股票从每股 28 美元猛升至每股 174 美元。其他科技公司也是一片繁荣。1996 年 4 月雅虎公司刚上市就估值 8.48 亿美元。亚马逊紧接着也在 1997 年 5 月以 4.38 亿美元的估值上市。到 1998 年春天，每家公司的股价都翻了两番。这些公司的收益是非网络公司收益的数倍之高，怀疑论者对此提出了质疑。显而易见，市场已经陷入疯狂。

这样的疯狂虽可以理解，却不妥当。1996 年末，即互联网泡沫破灭前 3 年，美联储主席艾伦·格林斯潘曾警告说"非理性繁荣"可能会导致"资产价格虚增"。科技投资者摩拳擦掌，但并未表现出明显的不理性。这确实太容易让人们忽视世界其他地方发展的不顺。

1997 年 7 月东亚金融危机爆发。裙带资本主义和巨额外债使泰国、印尼、韩国的经济一落千丈。卢布危机在 1998 年 8 月接踵而来，俄罗斯那时已长期陷入财政赤字，货币贬值，负债累累。对这个没有钱却拥有上万枚核弹的国家，美国投资者坐立不安；道琼斯工业平均指数在仅仅几天内猛跌 10% 还多。

人们的担心是有道理的，卢布危机引发的一系列反应，击垮了美国高杠杆对冲基金——长期资本管理公司（LTCM）。美国长期资本管理公司 1998 年后半年设法将损失控制在了 46 亿美元，但仍负债 1 000 亿美元。面对巨额债务，美联储为了避免系统性灾难，斥巨资紧急援助，并且削减了贷款利率。欧洲也同遭浩劫。迎着大众的怀疑和冷漠，1999 年 1 月上市的欧元在交易第一天升到了 1.19 美元，但是仅在两年间就跌到了 0.83 美元。2000 年年中，七国集团各国的央行不得不动用巨额资金来支撑它。

1998 年 9 月开始的短命网络热潮，其背景就是这样一个溃败无序的世界。旧经济无法应对全球化带来的挑战。如果想要未来更好，就一定要找到行得通的方法，而且要处处行得通。间接证据显示，互联网新经济是唯一可以前进的道路。

硅谷淘金热：1998 年 9 月~2000 年 3 月

互联网热潮虽很热却短暂，只维持了 18 个月。这是一场硅谷淘金热：到处都是金子，也不乏热情高涨却草率行事的淘金者。每周，都有数十个新企业竞相举办豪华开业派对（而庆祝成功的派对却很少见）。这些纸上百万富翁为上千美元的宴会埋单，并企图用初创公司的股票来支付（有时甚至成功了）。大批的人放弃了收入不菲的工作，去开办公司，或进入初创公司上班。我认识一个 40 多岁的研究生，他在 1999 年开了 6 家不同的公司。（通常，40 岁的研究生就很让人感觉奇怪，一次开 6 家公司更是疯狂，但是在 90 年代末，人们却认为这些特质是成功的组合。）每个人都本应知道热潮无法长久持续，那时最"成功"的公司好像拥有一种反商业模式，在这种模式下，公司虽然在发展，却一直在亏损。但是音乐在播放，我们没法责备那些随音乐舞动的人。想想公司名字里加一个".com"，价值就能一夜翻倍，不合理的便都变成了合理的。

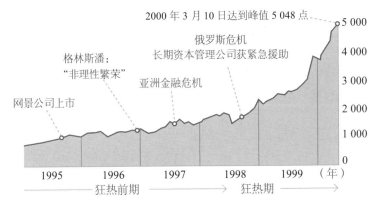

图 2-1　网络公司的兴盛

PayPal 狂热

　　1999 年末，我经营起了PayPal公司，当时真是又惊又怕——并非因为我不相信我的公司，而是因为好像硅谷里的每个人都时刻准备着相信任何事。我目光所及的每个地方，人们随心所欲开创公司、改革公司。一个熟人告诉我他在成立自己的公司前，就已经在卧室里计划好了要上市——他并不认为这有什么奇怪的。在这种环境里，理智地行事才是怪事。

至少PayPal公司有一个能算得上宏伟的目标，一个在网络泡沫破灭之后被怀疑论者视为宏伟的目标——我们想要创造一种新的网络流通货币来替代美元。我们的第一个产品可以使人们用掌上电脑转账。但是却没人需要这个产品，记者们甚至把这个想法评为1999年最糟糕的十大商业构想之一。掌上电脑当时还是稀罕物，但是电子邮件已经普及，所以我们决定另辟蹊径——开发一个电子邮件支付系统。

直到1999年秋，我们的电子邮件支付产品都运转良好——每个人都可以登录我们的网页转账，很简便。但是我们的用户仍不够，而且增长缓慢，成本却在上涨。如果想要PayPal维持下去，我们需要至少100万用户。广告影响力过弱，得不偿失；和大银行的预期交易也频频落空。于是我们决定付钱让人注册，以此吸引客户。

每位新用户一注册即可得到10美元，每推荐一个朋友来注册就能再得10美元。这个方法帮我们招来数十万新用户，呈指数级增长。当然，这个揽客战略本身并不持久——你要付钱让用户注册，呈指数级增长的用户就意味着呈指数级增长的成本。天价成本在当时的硅谷司空见惯，但是我们的脑袋还是清醒的，我们认为这一战略还是理性的。考虑到巨大的用户基数及我们从顾客的交易中收取的小额手续费，我们肯定会获利。

我们知道达到目标还需要更多资金，我们也清楚繁荣景象即将逝去。我们并不指望投资者会相信我们能渡过即将到来的难关，所以在冲击到来前公司尽力筹资。2000 年 2 月 16 日，《华尔街日报》发表了一篇报道，称赞我们公司发展迅速，并且暗示 PayPal 公司已经价值 5 亿美元。报道发表的第二个月，我们筹资已达 1 亿美元，而我们最重要的投资者把《华尔街日报》对我公司的估价视为权威。其他投资者更是忙不迭地向我们公司投资。一家韩国公司甚至没有经过协商签合同，直接电汇给我们 500 万美元。我想把钱还回去，他们也不告诉我地址。2000 年 3 月那轮融资给了我们取得成功的时间。我们刚一完成交易，网络泡沫就破灭了。

获得的经验教训

"他们说派对在 2000 年午夜 12 点结束，哎呀！没时间了！

所以，今晚我就要办一个派对，像 1999 年那样狂欢！"

——王子（Prince）

纳斯达克指数在 2000 年 3 月中旬达到了峰值 5 048 点，然后在 4 月中旬跌至 3 321 点。在 2002 年 10 月降到 1 114 点触底反弹之前，市场崩溃一直被解读为对 90 年代科技乐观主义的审判。而这之后，曾经充满希望的 90 年代又重新被定义成疯狂贪婪的时代。纳斯达克的崩溃宣告了这个时代的终结。

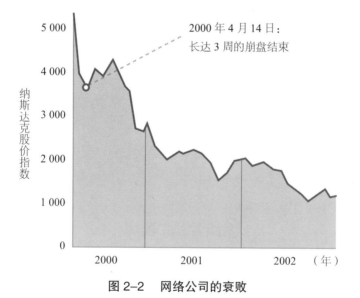

图 2-2　网络公司的衰败

像1999年那样狂欢

每个人都慢慢开始用不确定的眼光去看待未来，任何提出年度计划而非季度计划的人都该被当作极端分子避之唯恐不及。全球化代替科技成为未来的希望。90年代从"砖块到网络"的转变没有取得预期的成果，投资者又重新把目光放到了砖块（房地产）和金砖国家（全球化）上，结果造成了另一场泡沫——这次发生在房地产市场。

遭受硅谷之劫的企业家们从中学到4点经验，这些经验直到今天仍在主导商业思想：

① 循序渐进。

不能沉溺在宏大的愿景中，否则会使泡沫膨胀。自称可以成大事的人都不可信，因为心存改变世界之雄心的人通常要更加谦逊。小幅地循序渐进地成长是安全前进的唯一道路。

② 保持精简和灵活性。

所有的公司都必须留出一定空间，不要事事都严格计划。你不知道你的事业会变成什么样，事先规划通常既死板又不现实。相反，你应该做些尝试，反复实践，把创业当成未知的实验。

③ 在改进中竞争。

不要贸然创造一个新市场。以现成的客户作为出发点创业才更有保障。成功者已经创造出被认可的产品，在此基础上加以改进，才是可取之道。

④ 专注于产品，而非营销。

如果你的产品需要广告或营销人员去推销，就说明你的产品还不够好：科技应用于商业应该主打产品开发，而不是分销。在泡沫年代打广告显然都是浪费，唯一持久的成长是爆发式成长。

这些经验教训在创业领域成了信条；忽视它们的人被认为会遭受 2000 年美股大崩盘、科技股重挫那样的厄运。然而这些法则的对立面可能更正确：

1. 大胆尝试胜过平庸保守。

2. 坏计划也好过没有计划。

3. 竞争性市场很难赚钱。

4. 营销和产品同样重要。

确实，科技发展中存在泡沫现象。90 年代后期人们狂妄自大，相信自己可以实现从 0 到 1 的跨越。结果，只有少之又少的初创企业实现了这个跨越，许多公司只是空谈而已。但是人们明白，我们别无选择，必须找到事半功倍的方法。2000 年 3 月，市场显然已经达到了疯狂之巅。虽不明显但更重要的是，人们这时也最为清醒，他们放眼未来，考虑未来发展需要哪些有价值的新科技，并相信有能力创造新科技。

我们仍然需要新科技，甚至还可能需要用 1999 年的那种狂热去寻求新科技。要想建立新一代企业，我们必须扔掉之前陈旧的教条。但这并非意味着那些教条的对立面就一定是正确的，因为就算你有心逃脱，大众洪流也会裹挟着你向前。相反，要问自己：你对企业的认识有多少是基于对以往过错的错误反应形成的？最反主流的行动不是抵制潮流，而是在潮流中不丢弃自己的独立思考。

ZERO TO ONE

NOTES ON STARTUPS,
OR HOW TO BUILD THE FUTURE

第 3 章

所有成功的企业都是不同的

如果把我们之前提出的反主流问题用在商业上，那就是：还有什么有价值的公司没有成立？这个问题同样比看起来要难回答，因为虽然你的公司自身还不是很有价值，但是已经可以创造价值了。创造价值还不够，你还必须抓得住自己创造的部分价值。

这就意味着即使大公司也可能经营不善。比如，美国航空公司每年都要接待几百万乘客，创造数千亿美元的价值。但在2012年，飞机票价平均178美元，每次飞行航空公司只能从每位乘客身上赚到37美分。而谷歌，创造的价值相对少，但是从中赢利却多得多。谷歌2012年只创造了500亿美元的价值（而航空公司创造了1 600亿美元），却从中获利21%——利润率是当年航空业的100多倍。谷歌的巨额利润使它的市值是所有美国航空公司市值之和的 3 倍多。

多家航空公司之间存在竞争，但是谷歌却只有一家。经济学家用两个简单模型解释了这两种现象：一是完全竞争，二是垄断。

在经济学入门的第一课中，"完全竞争"是一种理想的、默认的状态。所谓的完全竞争市场在供求相当时达到平衡。处于竞争市场中的每个公司之间没有差别，卖的都是同质产品。因为这些公司都没有市场支配力，其产品价格必须由市场定。如果有钱可赚，就会有新公司入市。这样供给量上升，价格下落，起先吸引这些新公司的利润又荡然无存。如果进入市场的公司太多，这些公司就会亏损，一些还会倒闭。最终价格会回升到可维持的水平。在完全竞争下，从长远来看，没有公司会获得经济利益。

与完全竞争相反的是垄断。竞争性公司的产品由市场定价，而垄断公司拥有自己的市场，所以可以自己定价。没有了竞争，垄断公司可以自由决定供给量和价格，以实现利益最大化。

在经济学家眼中，无论垄断企业是靠什么方式成立的，是要手段消灭了竞争对手，还是从政府那儿弄到了许可证，抑或是靠创新一步步攀到了顶峰，它们都是一样的。在本书里，我们不讨论非法强霸，也不涉及政府宠儿。这里的"垄断企业"指的仅仅是一种企业，它供给消费者的产品其他企业无法供给。谷歌就是从0到1的范例：自21世纪初谷歌就已经将微软和雅虎远远抛在身后了，在网络搜索领域无人可敌。

美国人神话了竞争，赞颂竞争使他们免于排队领面包的窘境。事实上，资本主义和竞争的概念恰恰相反。资本主义基于资本的累积，而如果处于完全竞争之下，利润就会消失。企业家们从中获得的教训很清楚：如果你想创造并获得持久的价值，不要只是跟风建立一个没有特色的企业。

企业的谎言

世界上有多少真正垄断的市场？又有多少真正完全竞争的市场？这很难说，因为我们对垄断和竞争的认识本身就很模糊。在旁观者看来，所有企业都一样，他们只能看出两者间的一些细微差别。

但是事实要更为两极分化。完全竞争和垄断之间存在巨大差

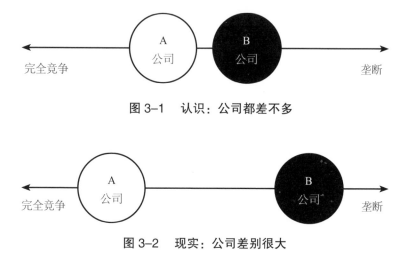

图 3-1　认识：公司都差不多

图 3-2　现实：公司差别很大

别，因此大多数企业都比我们想象中的更靠近这两个极端之一。

我们对两者的模糊概念源于企业从对己有利的角度描述市场：不管是垄断者还是竞争者，都乐于歪曲事实来维护自己的利益。

垄断者的谎言

垄断者为了自我保护而撒谎。他们知道炫耀垄断会招致检查、审核，甚至遭受打击，所以为了继续不受干扰地获得垄断利润，他们会想方设法来隐瞒垄断这个事实，通常的方法是夸大（并不存在的）竞争。

可想而知，对外，谷歌当然不会宣称自己是垄断企业。但它到底是不是垄断企业？这取决于：它垄断了什么？我们一起来分析一下。谷歌以做搜索引擎起家。到 2014 年 5 月，它占有了 68% 的市场。（它最强劲的对手，微软和雅虎，分别占有大约 19% 和 10%。）如果这还没有足够显示出它的优越，还有一个事实——"谷歌"已经作为一个动词被编入《牛津英语大词典》。而这是必应（微软推出的一款搜索引擎）做不到的。

但是假设谷歌刚开始是一家广告公司，那情形就不同了。美国搜索引擎广告市场的规模是每年 170 亿美元，网络广告是每年 370 亿美元。整个美国广告市场是 1 500 亿美元，而全球达到了 4 950 亿美元。所以即使谷歌完全垄断了美国搜索引擎广告市场，也只占全球的 3.4%。从这个角度来说，谷歌只是这场竞技赛中一名不起眼的小卒。

如果我们把谷歌定位为多元科技公司会怎么样呢？这个假定很合理，因为除了搜索引擎，谷歌还做其他十几款不同的软件产品，比如自动驾驶汽车、安卓手机、可穿戴装置。但是 95% 的

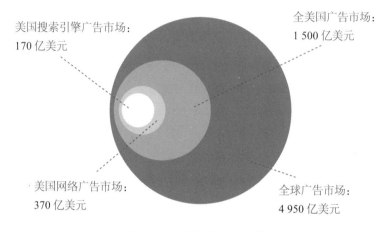

美国搜索引擎广告市场：
170 亿美元

全美国广告市场：
1 500 亿美元

美国网络广告市场：
370 亿美元

全球广告市场：
4 950 亿美元

图 3-3 广告市场的规模

收益仍来自搜索引擎广告；其他产品的收益在 2012 年只达到了
23.5 亿美元，而且针对科技消费者的产品的收益只占了其中一小
部分。全球科技类消费品市场的规模达到了 9 640 亿美元，谷歌
只占了不到 0.24%——与垄断简直相差了十万八千里。谷歌把自
己定位成一家科技公司，可以躲开注意力，省去麻烦。

非垄断者的谎言

非垄断者的谎言与垄断者相反，他们不会夸大竞争对立，而是会说："我们结成了自己的联盟。"创业家通常倾向于对市场竞争轻描淡写，但这却是初创公司犯下的最大错误。而最致命的诱惑就是将市场描述得太狭小，好像你可以理所当然地驾驭它一样。

假如你想要在美国加州的帕洛阿尔托开一家英式餐厅，你可能会这样找理由："没人在那里开英式餐厅，我们拥有整个市场。"除非这个市场明确需要英式食物，否则你说的就是错的。如果现实是本地餐厅市场占主导，怎么办？如果附近城镇的所有餐厅都是市场的一部分，又怎么办？

这些问题都很尖锐，但是更大的问题是你内心根本就不想问自己这些问题。当你听到大多数新开的餐厅在一两年内就关门了，你的本能会告诉你——你的餐厅肯定不会这样。你会设法向人们证明你是个例外，而不是认真思考是否真是这样。你最好停下来，思考一下在帕洛阿尔托是否有热衷于英式食物的消费者，而很有可能根本就没有这样的消费者存在。

2001 年，我和PayPal公司的同事经常在芒廷维尤（又译山景城）的卡斯特罗大街上吃午餐。我们从最常见的菜系开始选择餐厅就餐，比如印度菜、寿司、汉堡。当我们选定一个菜系时，会有更多的选择：北印度菜、南印度菜，便宜的、昂贵的等等。与竞争如此激烈的当地餐厅市场比起来，PayPal 公司在当时是世界上唯一一家开发电子邮件支付系统的公司。我们雇用的人比卡斯特罗街上的餐厅雇用得少，但是我们的生意却比这些餐厅加起来还有价值得多。开一家南印度菜餐厅很难赚钱。如果你忽略了激烈的竞争而只看到你开的菜馆那些细微的特色——也许你认为你家的印度薄饼很棒，因为你曾祖母给了你超棒的配方——那么，你的生意不可能持续下去。

创意产业也遵循同样的原则。没有一个编剧愿意承认他的新电影剧本只是新瓶装旧酒。相反，他们更乐于听到："这部电影用一种崭新的手法将各种激动人心的要素融合在一起。"这或许是真话。假设他的想法是让说唱歌手杰斯在糅合了电影《黑客》和《大白鲨》的一部影片中担任角色：一个说唱歌手加入了黑客精英组织，然后去捉一头杀害了他朋友的鲨鱼。这绝对是前所未有的，但就像帕洛阿尔托缺少英式餐厅一样，那可能是有原因的。

非垄断者通过把他们的市场定义成各种更小市场的交集来夸大自己的独特性：

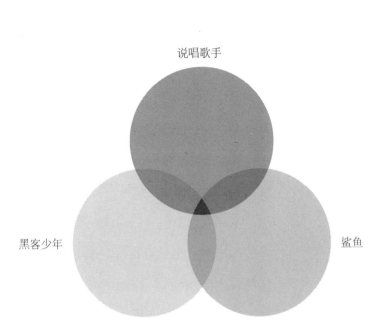

图3-4 你的市场是交集还是并集

英式食品∩餐厅∩帕洛阿尔托

说唱歌手∩黑客∩鲨鱼

相反，垄断者通过把他们的市场描述成若干大市场的并集来伪装他们的垄断性：

搜索引擎∪手机∪可穿戴装置

电脑∪自动驾驶汽车

垄断者自己编造的并集故事在现实当中的情况如何呢？让我们来看看谷歌董事长埃里克·施密特在 2011 年的国会听证会上做出的陈述：

> 我们面对一个极其严酷的竞争格局，消费者有大量的选择去获取信息。

将这个公关说法转成更直白的陈述是：

> 谷歌只是大池塘里的一条小鱼，我们可能随时被人吞下肚去，我们不是政府正在寻找的垄断企业。

冷酷无情的市场

竞争企业的问题远不只利润问题。想象一下，如果你正在经营芒廷维尤的一家餐厅，而你的餐厅与数十个竞争者相比并没有什么特色，你就不得不费尽心力将餐厅维持下去。如果你给消费者提供价格实惠的食物，自己获利很少，你就只能给员工发最低工资。而且你不得不减少不必要的开销，甚至降低工作效率：这就是在小饭馆常见到老奶奶在前台招呼，小孩儿在后台洗碗的原因。即使高档餐厅也好不到哪里去，像米其林这样的星级评分系统为激烈的竞争推波助澜，主厨们都快要被逼疯了。（法国大厨贝尔纳·卢瓦索是米其林三星得主，他曾这样说："如果失掉一颗星，我就会去自杀。"卢瓦索保持着他的等级，但是 2003 年他还是自杀了，因为一家法国餐饮指南调低了其餐厅等级。）竞争生态系统把人变得冷酷无情，甚至剥夺了人的生命。

谷歌那样的垄断企业则与众不同。因为不用担心和别的企业竞争，它有更大的自主权去关心自己的员工、产品和在更广阔世界里的影响力。谷歌的座右铭——"不作恶"，在某种程度上是品牌策略，同时也显示了成功企业的特性——即使严守道德，也不会影响公司的发展。在商界，钱就是一切，或至少是非常重要。垄断者除了想着赚钱外还有余力想其他事情，而非垄断者就不行。在完全竞争中，企业着眼于短期利益，不可能对未来进行长期规划。要想将企业从每日的生存竞赛中解脱出来，唯一的方法就是：获取垄断利润。

垄断资本主义

因此，垄断对于产业内的人来说是好事，但是对于产业外的人呢？巨额利润是否来自社会上其他人付出的代价？实际上确实如此：利润都是从消费者的钱包掏出来的，垄断者自然享有坏名声——但只在一成不变的世界里如此。

在静态的世界中，垄断者只是收租人。如果你垄断了市场，你就能提升产品价格；其他人没有选择，只能从你那里买。就像一款有名的桌面游戏：房地契在玩家之间轮转，但是游戏规则从来不会变，你无法通过重新创造一种更好的房地产开发方法来赢得游戏。在游戏中，房地产的相对价值固定不变，所以你能做的就是设法把它们全买下来。

但世界是动态的，我们可以创造更好的新事物。富有创意的垄断者创造出崭新的事物，给消费者更多的选择。有创意的垄断企业不仅对外界社会没有坏影响，相反，它们是使社会更美好的推动力。

就连政府也知道这些，因此还专门有部门努力创造垄断企业（授予新发明专利权），尽管也有另外的部门在扼杀它们（实行反垄断措施）。有人可能会质疑：仅仅因为第一个想出好点子，比如设计出手机软件，一个人就应该获得法律保护的独占地位吗？但是我们可以很清楚地看到：iPhone 手机的设计、生产和营销给苹果公司带来的垄断利润就是对苹果公司的嘉奖，奖励它丰富了世界，而非人为造成稀缺，消费者也乐意花高价买一部好用的智能手机。

新兴垄断企业的活力解释了为什么老牌垄断企业不会抵制创新。有苹果公司的 iOS 系统打头阵，移动计算的崛起迅速把微软从长达数十年的操作系统的霸主地位推了下去。在那之前，微软的软件垄断取代了美国 IBM 公司 20 世纪 60~70 年代的硬件垄断。几乎整个 20 世纪，电话服务业被美国电话电报公司垄断，而现在每个人都能从随便一个供应商那里买来一部手机。如果垄断企业的趋势是阻碍进步，那我们应该抵制这种危险企业。但是进步的历史事实上是垄断企业不断更新换代的过程。

垄断企业推动社会进步，因为数年甚至数十年的垄断利润是有力的创新动机。之后垄断企业会不断创新，因为利润给了它们规划长远未来的资本，它们有能力投资雄心勃勃的研究项目，这些是困在竞争之中的企业想都不敢想的。

既然如此，为什么经济学家却痴迷于企业间的竞争，把竞争当成一种理想状态呢？这是历史遗留下来的问题。经济学家的想法来自19世纪的物理学家：他们把个人和企业看成可互换的原子，而非独特的创造者。他们的理论描述了完全竞争的平衡态，因为这种平衡态模型很容易建立，而不是因为它代表了企业发展的最佳状态。但是值得一提的是，在这种由19世纪物理学衍生出来的长期平衡态中，所有能源都是平均分配的，而且所有事物都趋于静止——也被称为宇宙热寂（当宇宙的熵达到最大值时，宇宙中的其他有效能量已经全数转化为热能，所有物质温度达到热平衡）。不管你怎么看热力学，这都是一个很好的比较：在商界，平衡态即静态，静态就是死亡。如果你的公司处在竞争平衡中，那它的消失对世界丝毫没有影响，而和你公司相差无几的其他竞争企业随时都准备取代你的位置。

完美的均衡可能描述了大部分宇宙的虚无状态，甚至也是许多企业的特点。但是每个新发明的出现都和均衡相差甚远。在经济理论之外的现实世界中，每个企业的成功恰恰就是因为它做了其他企业不能做的事情。因此垄断并不是商界的症结，也不是异常存在，而是每个成功企业的写照。

第3章

所有成功的企业都是不同的

托尔斯泰在《安娜·卡列尼娜》中以下面这段文字作为开头:"幸福的家庭总是相似的,不幸的家庭各有各的不幸。"而在商业中,情形恰恰相反。企业成功的原因各有不同:每个垄断企业都是靠解决一个独一无二的问题获得垄断地位;而企业失败的原因却相同:它们都无法逃脱竞争。

ZERO TO ONE

NOTES ON STARTUPS,
OR HOW TO BUILD THE FUTURE

————————

第 4 章

竞争意识

创造性垄断就是新产品既让大众受益，又可以给创造者带来长期利润。竞争意味着大家都没有利润，产品没有实质差异，而且还要挣扎求生。但是为什么人们相信竞争才是健康状态呢？回答是：竞争并不只是一种经济概念，也不只是个人和企业必须在市场中解决的麻烦。重要的是，竞争是一种观念——这种观念在整个社会中蔓延，扭曲了我们的思想。我们宣扬竞争，内化竞争的必要性，颁布竞争的条律；结果就是，尽管竞争越来越激烈，我们实际获得的却越来越少，我们把自己困在了竞争中。

这是一个简单的事实，但是我们都学会了对它视而不见。我们的教育体系既促使我们去竞争，也反映了我们对竞争的痴迷。成绩本身就是对每个学生竞争力的精准测度，分数最高的学生既得到地位又得到证书。我们用同样的方法教授年轻人同样的内容，而不顾个人的天赋和爱好。无法安静地一直坐在书桌前学习的学生，在环境的影响下感觉自己好像低人一等；而在考试和作业上出类拔萃的孩子最终都是在这个怪异的、与现实世界没有交集的学术界里找到个人定位。

越到高等教育阶段，这种现象越严重。优秀的学生自信地"往高处走"，直到竞争激烈到把他们的梦想吞噬殆尽。高等教育是一场困局，在高中时对未来有宏伟规划的学生，最后却陷入了与智力程度不相上下的同侪在传统职场上的竞争，如企业管理咨询和投资银行业务。为了获得把自己转变成一个墨守成规之人的特权，学生（或者家长）要支付数十万美元，并且学费仍在飙升，涨幅持续超过通货膨胀。为什么我们要对自己做这种事呢？

我多么希望自己年轻的时候就这么思考过。我的道路循规蹈矩，一个朋友曾在我八年级的纪念册上这样预测：四年后我会成为斯坦福大学的二年级学生。按部就班地上完了大学，我考入了斯坦福法学院，在这里我更加努力，追求更大的成功。

每个法学院学生都目标明确——得到最高分。因为每年，

第4章

竞争意识

只有十几个学生从数以万计的学生中脱颖而出，成为最高法院的书记员。在联邦上诉法院工作了一年后，我终于得到了书记员的面试资格，面试官是肯尼迪和斯卡利亚法官。面试进行得很顺利，胜利在望。我想，要是我能当上书记员该多好，我这一辈子就不用愁了。但结果却是我失败了。那时候，我备受打击，意志消沉。

2004年，创立了PayPal公司并将之卖掉之后，我偶然碰到了以前法学院的老朋友，他帮我整理过那次失败面试的申请资料。我们近10年没有联系过了。他开口讲的第一句话不是"你好吗"或是"真是好久不见啊"，相反，他咧嘴笑着问我："彼得，你是不是很庆幸自己当年没有竞争上书记员？"从后来的发展趋势来看，我们都知道如果赢得当年那场竞争，我的人生就会向坏的方向转变。如果当年真的留在了最高法院，我可能这辈子都只能录取证言，起草别人的商业协议，而没有机会自己去创造新事物。很难说这两条路的差别有多大，只能说机会成本真的很高。这就像所有获得罗德奖学金的罗德学者都曾对前程充满期待。

战争与和平

教授们对学术界残酷的竞争轻描淡写，而经理人总是喜欢把商界比作战场。工商管理硕士随身都要带着克劳塞维茨（德国军事理论家和军事历史学家）和孙子的著作。战争的比喻用法已经深入到日常商业用语中，如我们借助猎头（headhunters）组建的销售队伍（force），使我们能够掳获（captive）市场，大赚一笔（make a killing）。（括号中的英语，原意都与战争相关。）

为什么人们非要一较高下呢？马克思和莎士比亚给出的回答有助于我们理解几乎每种冲突的原因。

按照马克思所说，人们因为差异才会斗争。无产阶级和资产阶级因为观点与目标截然不同（来自于不同的物质环境）而斗争。差异越大，冲突就越大。

对莎士比亚来说则恰恰相反，所有的斗争者都或多或少有些相似。由于没有什么好争的，所以他们为什么而争斗不得而知。《罗密欧与朱丽叶》开篇就说："两家人，同样尊贵体面。"这两家人差不多，但是他们互相敌对。随着矛盾升级，他们甚至变得更相似。直到最后，他们自己也忘记了最初矛盾产生的原因。

第4章

竞争意识

至少在商界，莎士比亚的理论更为高明。在公司内部，人们为了升职，时刻关注对手动态。而公司为获得市场也留意着竞争者。在所有人类冲突的戏码中，人们往往忽视了真正重要的事情，只把精力放在竞争对手身上。

我们把莎士比亚的解释放在现实世界中进行一下测试。基于《罗密欧和朱丽叶》，我们编出另一个故事《盖茨和施密特》。蒙太古（罗密欧的姓）家族就是微软，凯普莱特（朱丽叶的姓）家族就是谷歌。两大家族分别由两个计算机精英运营着，肯定会因为它们的相同点而发生冲突。

和所有悲剧故事一样，回头追溯时，这场冲突好像无法避免，但其实冲突是完全可以避免的。这两个家族来自迥然不同的领域，蒙太古开发操作系统和办公室应用软件，凯普莱特开发搜索引擎。他们有什么好争的呢？

争的东西显然很多。身为初创企业，两个家族各有独立发展，不想招惹是非。但是随着事业发展壮大，它们就开始把注意力放在彼此身上了。蒙太古心里总是想着凯普莱特，而凯普莱特也时刻注意着蒙太古。结果是什么？结果是微软的Windows系统遇上了谷歌的Chrome OS，必应遇上了谷歌搜索，Explorer浏览器和Chrome浏览器针锋相对，Office办公软件和Docs办公软件争得不可开交，微软的Surface平板电脑和谷歌的Nexus平板电脑较劲。

就如两家的争斗最终牺牲了两家的孩子，微软和谷歌竞争的结果是：苹果公司冒出来，压倒了它们的优势。2013年1月，苹果的市值是5 000亿美元，谷歌和微软加起来是4 670亿美元。而仅在3年前，微软和谷歌还都比苹果有价值得多。可见，竞争是一场高成本的买卖。

竞争使我们过分重视过去的机会，一味重复过去的模式。以最近迅速火起来的移动信用卡读卡器为例。2010年10月，一家名为Square的初创公司推出了一款白色方形、体积很小的产品，可以使人们用iPhone刷卡，读取信用卡信息。这是第一款针对手机设计的支付解决方案，模仿者顿时层出不穷。一家名叫NetSecure的加拿大公司，推出了自己的半月形读卡器。Intuit集团又为这场几何图形战增加了圆柱形。2012年3月，eBay旗下的PayPal又跟风发布了自己的读卡器，是三角形的——真是对Square（词义为"正方形"）的"沉重打击"啊！三条边可比四条边简单多了。这场莎士比亚式的传奇故事看来要等到所有的形

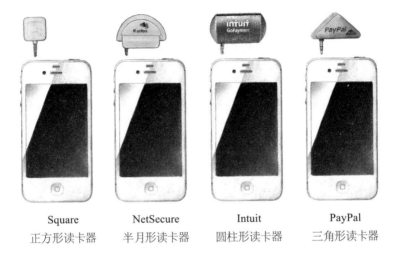

| Square | NetSecure | Intuit | PayPal |
| 正方形读卡器 | 半月形读卡器 | 圆柱形读卡器 | 三角形读卡器 |

图 4-1　移动信用卡读卡器的几何图形战争

状都被模仿完才能落幕。

　　模仿性竞争的危害也许能解释为什么患有像阿斯伯格综合征（患者有社交障碍）这种病的人目前在硅谷更占优势。这些人对社会动态没那么敏感，因此不会盲从跟风。如果你对发明创造和电脑编程有兴趣，你就有勇气全身心投入其中，最终成为这些领域的精英。把技能运用到实际中时，你就不会那么容易放弃自己的信念：这可以使你免于陷入追求虚名浮利的竞争当中。

　　竞争使人出现幻觉，徒劳去抓一些并不存在的"机会"。

疯狂的 90 年代出现的"机会"就是网上宠物商店。这是一场 Pets.com、PetStore.com、Petopia.com 和一大批其他网站的战争。它们经营的商品大同小异,每家公司都想打败对手;常问的战术问题都是:谁能给耐嚼的狗用玩具定个具竞争力的价格?谁能给出最好的"超级碗"广告创意?这些公司都忽视了更重要的问题——该不该涉足网络宠物用品市场?胜利肯定比失败好,但是如果这场战役不值得打,那每个参与者就都是输家。最终,Pets.com 在网络风潮结束后破产,3 亿美元的投资也随之烟消云散。

除了给人幻觉外,竞争还让人分心。想想拉里·埃里森和汤姆·西贝尔之间的莎士比亚式冲突。拉里·埃里森是甲骨文公司的创办人及首席执行官,汤姆·西贝尔在 1993 年自己创立西贝尔系统公司之前是甲骨文的高级销售人员,是拉里·埃里森的追随者。埃里森对西贝尔的背叛非常气恼,而西贝尔则不想一直处在前任老板的阴影下。这两个人都是强硬的芝加哥人,喜欢做生意,不想亏本。因为相似,他们的仇恨越来越深。埃里森和西贝尔在 90 年代后期互相拆台。埃里森曾经拉着一大卡车冰激凌三明治去西贝尔总公司,想要收买西贝尔的员工。三明治的包装袋上印着："夏日在即，加入甲骨文，光大你的事业与人生！"

奇怪的是，甲骨文故意持续树敌。埃里森的理论是有个敌人总是有好处的，只要他的威胁力足够鼓动员工而不会动摇企业就可以。1996 年，一家名为英孚美（Informix）的小数据库公司在红木滩的甲骨文总部旁树了一块告示牌，牌子上挑衅地写道——注意：恐龙经过！埃里森看到后极为兴奋。英孚美的另一块牌子立在 101 号南北向高速公路上，上面写着——您刚刚超越红木滩，我们也是。

甲骨文回敬了英孚美一块告示牌，牌子上暗示英孚美的软件简直比蜗牛还要慢。英孚美的首席执行官菲尔·怀特决定针对个人进行攻击。当怀特得知埃里森崇尚日本武士文化时，他又立了一块告示牌，牌子上画了甲骨文的标识，旁边又画了一把断掉的武士刀。这则广告确实不是针对甲骨文公司的，更不是针对消费者的，而纯粹是对埃里森的个人攻击。不过怀特可能有点过分担忧这场竞争了：当他还在忙着立告示牌的时候，英孚美内部爆出了财务丑闻，怀特自己也因为证券诈骗入狱。

如果你不能把对手打败，那就和对手联合。1998 年我和马克斯·列夫琴合伙创办了Confinity公司。当我们在1999年末发布PayPal的产品时，埃隆·马斯克的X.com公司就紧跟我们的脚步：我们公司的办公大楼在帕洛阿尔托的大学街上，和X.com公司隔了4个街区，但它的产品却和我们的极为相似。到了1999年末，我们陷入了全面战争。PayPal的许多员工周工作时间达到了100小时。毫无疑问，结果不尽如人意，因为我们关注的并不是客观的生产效率，而是打败X.com公司。我们公司的一个工程师甚至为达到这个目的还设计了一枚炸弹；在一次会议上他展示了炸弹的图解，头脑还算冷静的人制止了这个计划，说他是极度缺乏睡眠。

但是在2000年2月，飞速膨胀的科技泡沫带来的恐惧远远超过了埃隆和我对彼此的恐惧：我们还没有决出高低，这场金融冲突就把我们一起冲垮了。所以3月初我们在一个距两家企业相同距离的咖啡店见了一面——然后一个股权比例为50：50的合并公司诞生了。处理合并后的竞争不是件简单的事，但是时间证明了即使有这个问题也是好的。作为一个整体，我们可以安全熬过网络泡沫，并建立起一个成功的事业。

有时你不得不投入战斗。需要的时候，你不仅要战斗，还必须得赢，没有中间选择：要么和风细雨润物无声，要么暴风骤雨速战速决。

这个建议也许很难做到，因为自尊和荣誉会拦着你。因此哈姆雷特说：

> 他仗着勃勃之勇气与天命之雄心，罔顾不测之凶险，
>
> 拼着血肉之躯奋然和命运、死神与危机挑战。
>
> 这全为了小小一块弹丸之地！
>
> 真正的伟大，并不只是肯为轰轰烈烈之大事奋斗，
>
> 而是肯为区区草芥力争一份荣耀。

对于哈姆雷特，伟大是肯为了微不足道的理由抗争：每个人都会为重要的事进行斗争；而真正的英雄把他们个人的荣誉看得更重要，即使事情不重要，他们也会一争到底。这个扭曲的逻辑是人的天性，但是用在商业上却很致命。如果你能看出竞争不能带来价值的提升，而是充满破坏力，那你就比大多数人要理智。下一章我们就来讨论一下如何以清醒的头脑去打造垄断的事业。

ZERO TO ONE

NOTES ON STARTUPS,
OR HOW TO BUILD THE FUTURE

———————

第 5 章

后发优势

规避竞争会帮助你打造垄断企业，但是只有经受住未来考验的企业才是成功的企业。比较一下纽约时报公司和推特（Twitter）公司的价值，这两家公司都雇用着几千名员工，都给数百万人提供了解时事的渠道。但是 2013 年，推特刚一上市，市值就达到 40 亿美元，是纽约时报市值的 12 倍还多。这之前，2012 年，纽约时报刚赚了 1.33 亿美元，而推特处于亏损状态。那么，怎么解释推特公司的高溢价呢？

答案是现金流。这听上去很奇怪，因为纽约时报是赢利的，而推特是亏损的。但是一个企业成功与否要看它在未来生成现金流的能力。投资者认为推特在之后的 10 年中可以获得垄断利润，而报纸的垄断时代却会结束。

简单地说，一个企业今天的价值是它以后创造利润的总和。

（正确估价一家企业，还要把未来现金流折算成今天的价值，因为相同额度的资金现值要比期值更有价值。）

通过比较现金流现值，我们能看出低增长企业和高增长的初创公司的明显区别。一家老公司（如报纸公司）如果能维持目前的现金流五六年，就可以保持自己的价值。但是任何公司在与同等实力的竞争者竞争时都会造成利润流失。夜总会和餐馆就是典型的例子：成功者今天可能收入不菲，但是现金流可能会在几年之内减少，因为顾客总会选择更新更潮的地方去消费。

科技公司则走相反的道路——通常是开始几年亏损。因为创造有价值的东西需要时间，所以收益延迟。一家科技公司的大部

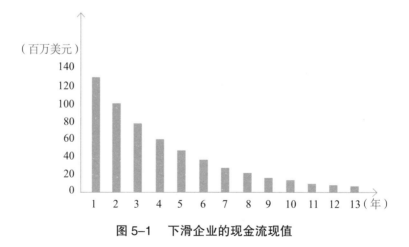

图5-1　下滑企业的现金流现值

第5章

后发优势

分价值都会在未来至少 10~15 年得到体现。

2001 年 3 月，PayPal 公司开始获利，我们的收入以每年 100% 的速度增长。但当我预计未来的现金流时，我发现公司现有的 75% 的价值都来自 2011 年甚至之后的利润——对一个仅仅上市 27 个月的公司来说这太难以置信了，但事实最终证明其价值还是被低估了，现在 PayPal 公司继续以每年 15% 的速度增长，折现率也比 10 年前要低，而现在看来公司的大部分价值都来自 2020 年甚至之后。

领英（LinkedIn，一家面向商业客户的社交网络服务网站）是另一个典型例子，它的价值也来自于遥远的未来。2014 年初，领英的市值达到 245 亿美元——对于一个 2012 年收入还不到 10 亿美元、净收益只有 2 160 万美元的公司来说，这已经非常高了。看到这些数字你可能觉得投资者们都疯了，但是这个估价只有考虑到领英预测的未来现金流才有意义。

这种对未来利润的看重即使在硅谷也违反常理。一个公司要想有价值，不但必须成长，还必须能持续发展，但是许多企业家只看到短期发展。他们有自己的理由：增长很好量化，但是没人知道一个公司能持续多久。热衷于量化的人痴迷于周活跃用户、

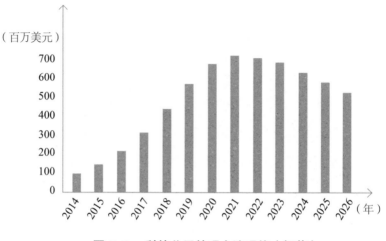

图 5-2　科技公司的现金流现值（领英）

月收益目标和季度收入报告。但是，你虽然可以得到这些数字，却忽视了更深层、更难量化的问题，而这些问题会威胁你公司的持久性。

例如，星佳（Zynga，一家社交游戏公司）和 Groupon（一家全球性的团购公司）短期的快速增长使管理者和投资者忽视了长远的挑战。星佳很早就在虚拟农场软件上获得优势，而且自称有"心理引擎"可以严格测评新版本的受欢迎程度，但是它们最后破产了，原因和每个好莱坞制片厂一样：你怎么能确定你创造的流行文化可以一直满足变幻无常的观众口味？（没人知道。）Groupon的产品被当地成百上千的企业试用，因此得到了飞速发展，但是让这些企业成为回头客比想象中要难得多。

如果你把短期增长看成重中之重，就会错过最重要的问题：10年之后，你的公司还能存在吗？仅凭数字不能告诉你答案：你必须认真思考公司的本质特征。

垄断企业的特征

一家在未来具有大额现金流的公司是什么样的呢？每个垄断企业都有自己的特色，但是它们通常会综合以下几个特点：专利技术、网络效应、规模经济以及品牌优势。

但这并不是你建立公司时要核对的清单——垄断企业是无捷径可走的。但是，按照这些特点分析自己的公司，可以帮助你思考怎么使你的公司更长命。

1. 专利技术

专利技术是一家公司最实质性的优势，它使你的产品很难或不能被别的公司复制。例如谷歌的搜索算法，搜索效果比其他的搜索引擎都好。超短的页面加载时间和超精准的自动查询增加了核心搜索产品的稳健性和防御力。谷歌在 21 世纪初所向披靡，而现在很难有搜索引擎公司做得到谷歌那时做到的事。

一般而言，专利技术在某些方面必须比它最相近的替代品好上 10 倍才能拥有真正的垄断优势。人们会认为，那些优势微不足道的产品只是有了一点改进而已，就很少有人买，特别是在这个已经很拥挤的市场里。

要做出 10 倍改进，最明确的方法就是创造全新的事物。如果你在一个领域创造了前所未有的有价值的事物，理论上，公司价值就会无限增长。例如能安全消除睡眠需求的药物，或是秃顶的治疗方法，都会支撑起一家垄断公司。

或者你可以彻底改进一种已经存在的事物：如果你能做到 10 倍好，你就可以避开竞争。举个例子，PayPal 使 eBay 上的业务提升了至少 10 倍。之前邮寄一张支票至少 7~10 天，而 PayPal

使买家一拍下商品就能付款。卖家立刻就能得到收益，而且他们知道现金比支票更好。

亚马逊做出的 10 倍改进人人可见：他们提供的书至少是其他书店的 10 倍。1995 年上市时，亚马逊就宣布要做成"全世界最大的书店"。不同于只能储存 10 万本书的零售书店，它不需要储存任何实体书——只要在顾客下单后从供应商那里得到书就行。这种对库存量的改进收到很好的效果，以致 Barnes&Noble（巴诺书店，美国最大的实体书店）在亚马逊上市的前三天提起诉讼——称亚马逊不是个"书店"，而是"图书掮客"。

你也能通过出众的综合设计做出 10 倍的改进。2010 年前，平板电脑在生活中并不实用，几乎没有市场。微软在 2002 年首次推出了"微软 Windows XP 版平板电脑"，诺基亚 2005 年发布了"网络平板电脑"，但是都不好用。之后苹果公司发布了 iPad。设计上改进的幅度很难衡量，但是苹果公司在所有方面做到了大幅改善：平板电脑从不好用变成了很有用。

2. 网络效应

网络效应使一项产品随着越来越多的人使用变得更加有用。例如，如果你所有的朋友都用Facebook，那你注册个Facebook账号就有意义。而如果你只是单方面用一个与众不同的网络社交工具，那就显得奇怪了。

网络效应作用很大，但是除非你的产品在网络群组规模尚小时对初期用户已经具有价值，否则无法收到网络效应。例如，1960年一家名叫Xanadu的堂·吉诃德式空想公司，开始开发一种运用于所有计算机之间的双向通信网络——万维网的雏形。但是30多年来徒劳无功，Xanadu最终在网络正要开始普及之前倒闭了。他们的技术也许能在一定规模时得到应用，但也只能在一定规模上才能使用：需要每台电脑同步接入网络，而这不可能发生。

矛盾的是，享有网络效应的企业必须从非常小的市场做起。Facebook的最初使用者只是一群哈佛学生——马克·扎克伯格的第一个产品是为了让同班同学注册，而不是吸引全地球人。这就是为什么成功的网络企业很少像工商管理硕士一样为了开

公司而开公司，他们最初的市场很小，小到看上去根本不像一
次商机。

3. 规模经济

垄断企业越大越强：开发一项产品的固定成本（设计、管理、
办公地点）需要更高的销量来分摊。软件开发就享有非常大的规
模经济效应，因为产品不需要重复的投入，边际成本趋近于零。

许多企业在扩大规模的过程中也只获得了有限利益，服务性
企业尤其难做成垄断企业。比如你开了家瑜伽馆，你只能拥有一
定数量的顾客。你可以雇更多的瑜伽老师，扩大训练场地，但利
润还是有限，你永远不可能像软件工程师那样，以优秀的人才组
成核心团队，为上百万顾客提供有价值的产品，他们所获得的利
润，可望而不可即。

一个好的初创企业在刚开始设计时就应该考虑到之后的大规
模发展潜能。推特现在已经拥有了 2.5 亿用户，它不需要为了得
到更多用户再添加定制的特性，其内在的运行机制可以让它持续
增长。

4. 品牌优势

一家公司最显而易见的垄断是对自己品牌的垄断，因此打造一个强势品牌是形成垄断的有力方式。当今最强势的科技品牌是苹果：像iPhone和MacBook那样的产品，具有吸引人的外观、一流的用料、时尚的简约设计、精心控制的用户体验、无所不在的广告、优质产品该有的价格和乔布斯的个人魅力，这些都使苹果打造出了属于自己的品牌。

许多公司都想效仿苹果：花钱做广告，开品牌店，使用高端的材料，玩味十足的主题演讲，设定高价格，甚至模仿它的简约设计。但是这些表面光鲜却没有强大的内在实质支持的科技根本不起作用。苹果在硬件（如超级触屏材料）、软件（如为特定材料而设计的触屏界面）上都有一套复杂的专利技术。它的生产规模很大，足以主导原料的价格。而且其内容生态系统带来很强的网络效应：成千上万的开发者为苹果产品编写软件，因为苹果拥有亿万用户，而这些用户之所以选择苹果的平台，是因为这里有好的应用程序。比起耀眼的品牌形象，苹果的其他垄断优势都黯然失色，但是其他优势却使品牌优势更耀眼，加强了苹果公司对市场的垄断。

如果先从品牌而不是靠实力来经营，也有很大隐患。自从玛丽莎·梅耶尔 2012 年中旬成为雅虎公司的首席执行官，她就在努力复苏这个曾经风行一时的网络巨擘。在一篇推文中，雅虎总结了梅耶尔的链式计划："人先于产品，产品先于交易，交易先于收益。"消费者照理说会冲着这种很酷的理念而来，要知道，雅虎不仅通过改变企业标识来展现这种理念，而且收购了如汤博乐（Tumblr，目前全球最大的轻博客网站，也是轻博客网站的始祖）这样的热门初创企业，以此来表示自己仍然朝气蓬勃。同时，梅耶尔的个人明星效应也为雅虎吸引了媒体的注意力。但是有一个大问题：雅虎究竟要创造什么产品？当乔布斯返回苹果时，他并不只是把苹果打造成一个很酷的工作场所，他还削减了生产线，只专注于少数能得到 10 倍改进的机会。没有科技公司可以只靠品牌发展。

建立垄断企业的方法

品牌、规模、网络效应和科技的组合可以打造一家垄断公司，但是要想使公司运行起来，还需要仔细选择市场，谨慎扩大范围。

占领小市场

每个初创公司刚开始时都很小，每个垄断企业都在自己的市场内占主导地位，因此，每个初创公司都应该在非常小的市场内起步。宁可过小也不能大，理由很简单：在一个小市场里占主导地位比在大市场里要容易得多。如果你认为自己起步的市场可能太大，那就一定是太大了。

从小市场起步并不意味着去找一个不存在的市场，我们在经营 PayPal 的早期就犯过这种错误。我们的第一个产品使人们可以在掌上电脑上进行交易，这是个有趣的技术，而且没有人做过。但是，全球上百万的掌上电脑用户并不会集中在一个特定的地方，他们的共同点很少，而且他们也只是偶尔使用掌上电脑。没人需要我们的产品，所以我们没有顾客。

有了这次教训，我们把目光锁定在 eBay 的拍卖交易上，而且取得了首次成功。在 1999 年末，eBay 有数千个"超级卖家"，而仅仅专注地努力了 3 个月，我们的产品就已经被其中25%的卖家所用。比起千方百计地引起上百万散居各地的人的注意，赢得数千个确实需要我们产品的人的青睐要容易得多。

一个初创企业完美的目标市场是特定的一小群人，而且几乎没有其他竞争者与你竞争。任何大的市场都是错误选择，而且已经有其他竞争者存在的大市场更糟糕。这就是企业家想占价值 1 000 亿美元的市场的 1%总是行不通的原因。实际上，在一个大市场中不是找不到一个好的出发点，就是会陷入竞争，所以很难达到那 1%。如果侥幸获得了一个小小的立足之处，你应该为能够维持下去而感到高兴：因为残酷的竞争会吞噬掉你全部的利润。

扩大规模

一旦你成功创造了或是主导了一个利基市场，就要逐步打入稍大些的相关市场。比如亚马逊，杰夫·贝佐斯的愿景是使亚马逊成为在线零售业的主宰，但是他很谨慎，以图书作为起步。虽然有无数的书入库待售，但是书都是相同的形状，很好装运，而且一些很难被卖出的书也会吸引热爱这些书的热情的用户（而任何一家零售书店都不会为了这一点利益而把这些书存着）。亚马逊为那些家离书店远或是需要淘稀有书籍的人提供了一个绝好的去处。之后亚马逊有两个选择：增加已有的用户数，或是扩展到其他垂直市场。他们选择了后者，并且从最相近的光盘、影像和软件市场开始，然后继续增加品类直到成为世界级的"综合商店"。亚马逊这个名字来源于世界流域面积最大的河流——亚马孙河，它巧妙地暗示了这家公司的扩展策略。而生长在亚马孙河流域的亚马孙热带雨林，其生物的多样性也反映了亚马逊公司的第一个目标——提供这世界上各种各样的书。而现在，它则是要提供这世界上各种各样的东西。

eBay也是从主导小的利基市场起步。当1995年向拍卖市场进军时，它不需要整个世界都立即接受它；因为针对小众兴趣的狂热用户群，产品卖得很好，比如曾出现的比尼宝宝（一种玩具）热。垄断了比尼宝宝的交易后，eBay并没有直接跳到跑车或工业二手货上，而是依旧迎合小型收藏家，一直到它成为人们最信赖的可以交易任何物品的网上交易市场。

有时在扩张过程中会遇到未曾想到的障碍——eBay近几

年已经得到了这个教训。像所有的卖场一样，拍卖场会出现自然垄断的现象，因为买家会往卖家多的地方去，而卖家也会往买家多的地方来。但是eBay发现拍卖模式最适用于个别独具特色的产品，例如钱币和邮票，却不太适用于日常生活用品：人们不会想为铅笔或纸巾叫价，从亚马逊上买更方便。eBay仍然是个具有价值的垄断企业，只是2004年的发展没有达到人们的预期。

　　企业家往往低估了循序渐进发展市场的意义，其实市场需要有纪律地逐步扩大。最成功的公司会先在一个特定的利基市场里占据主导，然后扩展到相近市场，它们的创业故事类似，都是由核心事业逐渐向外扩展。

破坏性创新

　　硅谷迷上了"破坏性创新"。"破坏"是指一家公司可以用科技创新低价推出一种低端产品，然后逐步对产品做出改进，最终取代现存公司用旧科技生产的优质产品。个人电脑的出现瓦解了大型计算机市场，起初其毫不起眼，之后却成为主导。同样，现在的移动设备也许正在"瓦解"个人电脑市场。

但是，"破坏"最近已经被曲解成了形容因所谓新事物、新趋势而沾沾自喜的流行词。这个看上去无关紧要的流行词其实很有影响，它以内在的竞争性扭曲了企业家的自我认识。这个概念被用来描述现存公司所受的威胁，而初创公司痴迷于这种"破坏"，这意味着它们是透过旧企业的眼光看待自身的。如果你认为自己是对抗黑暗势力的起义者，就很容易过分专注于道路上的阻碍。但如果你真想创造新的事物，那就去创造，创新的行为远比旧产业不喜欢你的创新来得重要。确实，如果可以将你的公司归结为已有公司的敌对者，那你的公司就不是创新的，也不会成为一个垄断企业。

"破坏"还会吸引注意力：破坏者到处找麻烦，最终会惹上麻烦。搞破坏的孩子会被带到校长办公室，而破坏性创新的企业通常会选择打不赢的仗打。纳普斯特（Napster）就是这样的一个企业：它的名字就是个麻烦。一个人能对着什么东西"打盹儿"（nap）？音乐？孩子？可能也没有别的了。肖恩·范宁和西恩·帕克当时是纳普斯特的年轻创始人，他们对1999年强大的唱片产业造成了威胁。下一年，他们就上了《时代周刊》的封面。而仅仅一年半后，他们就因为不断进法院最后破产了。

PayPal也能被视为具有破坏性，但是我们并不想直接挑战任何大的竞争者。确实，我们产品的流行带走了Visa公司的一些生意——你也许会选择用PayPal在网上买东西而不会用Visa卡在商店里买东西，但是自从我们扩大并覆盖了整个支付市场后，我们给了Visa更多的商业机会。整个产业得到正面的回馈，不像纳普斯特和美国唱片业之间的负和竞争。所以如果你准备扩张到相邻市场，不要"破坏"，要尽可能地躲开竞争。

后来者居上

你可能听说过"先发优势"：如果你是第一个进入市场的，在其他竞争者还在艰难起步的时候，你可以独自占据可观的市场份额。但先行一步只是个策略，不是目标。真正重要的是在未来产生现金流，因此如果有别的公司出现并取代了你，那么就算你是第一个做的也捞不到一点好处，反而那个最后下手的人更好——最终可以在一个特定的市场里取得重大进展，获得几年甚至几十年的垄断利润。要实现这个目标就要先主导一个小的利基市场，在这个基础上扩大，直到达到你预想的长远目标。至少在这一点上，经商就像下棋。国际象棋大师卡帕布兰卡说过："要想赢，首要工作就是研究残局。"

ZERO TO ONE

NOTES ON STARTUPS,
OR HOW TO BUILD THE FUTURE

———————

第 6 章

成功不是中彩票

商界最有争议的问题是——成功是靠运气还是靠技能？

成功人士怎么说呢？马尔科姆·格拉德威尔，一位写成功人士传记的畅销书作家，在他的书《异类》①中说成功源于"运气和偶然的优势"。沃伦·巴菲特认为自己是"幸运精子俱乐部里的一员"，是"卵巢彩票"的赢家。杰夫·贝佐斯把亚马逊的成功看成与"行星连珠"一样令人难以置信，而且还开玩笑地说这成功靠的"一半是运气，一半是时机，剩下的则是智慧"。比尔·盖茨甚至宣称自己"太幸运了，生来就具有一定的技能"，虽然这是否可能还不清楚。

也许这些人出于交际策略或多或少有些谦虚，但是这种连

---

① 《异类》简体中文版已由中信出版社于 2014 年 4 月出版。——编者注

续创业的企业家精神是对"机遇创造成功"理论的质疑。已经有成百上千的人开创了市值数百万美元的企业。少数一些，如史蒂夫·乔布斯、杰克·多西和埃隆·马斯克，甚至连续创立了几家价值数十亿美元的公司。如果成功来源于运气，那这些连续创业者们也许就不会存在了。

2013 年 1 月，推特和 Square 的创始人杰克·多西在推特上向其 200 万关注者发表推文：《成功绝非偶然》。

这种说法顿时引来嘘声一片。《大西洋月刊》上，记者亚历克西斯·马德加格尔说他的第一反应是反驳："所有白人巨富都会说，'成功绝非偶然。'"的确，已经成功的人涉足新领域要容易一些，不管是因为他们的网络效应、财富，还是丰富的经验。但也许，是我们自己太快地否定了那种按计划一步一步获得成功的可能性。

有没有办法客观地平息这场争论？不幸的是，没有。因为公司并不是实验室。例如要想通过科学实验来回答 Facebook 是否会成功，我们就必须倒回到 2004 年，复制出 1 000 个世界，然后在每个世界里运营 Facebook，看看结果到底怎样。但是做这个实验是不可能的。每个公司都在特定的环境中起步，每个公司也都只有一次生存的机会。如果样本只有一个，得出的数据是没有说服力的。

从文艺复兴、启蒙运动到 20 世纪中期，运气是可以被掌握支配的；大家都认为一个人应该做力所能及的事，而不是纠结于做不到的事。拉尔夫·瓦尔多·爱默生捕捉到了这种社会思潮，他写道："浅薄的人才会相信运气和境遇……强者只相信因果。"1912 年，罗尔德·阿蒙森成为第一个探索南极的人，他说："胜利只等待那些有准备的人，也许这就是人们说的运气吧！"没有人会假装坏运气不存在，但是前辈们相信努力会换来好运气。

如果你相信人生就是靠运气，那为什么还要读这本书呢？如果你只想知道彩票大奖得主的故事，学习创业对于你来说就毫无用处。《傻瓜老虎机使用指南》可能会告诉你哪些吉祥物可以求得好运，哪种机器"最神"，但是不能告诉你成功的方法。

难道比尔·盖茨只是中了智力彩票？难道谢丽尔·桑德伯格本来就含着金汤匙出生，或是她"向前一步"①了？当我们讨

① 桑德伯格著有《向前一步》一书，她召唤女性在事业上积极进取，敢于争取女性的领导地位。该书简体中文版已由中信出版社于 2013 年 6 月出版。——译者注

论像这样的历史问题时，幸运已是过去时了。更重要的问题是关于未来的：未来是靠机遇还是计划呢？

你能掌控自己的未来吗？

你可能期望未来清晰可见，你也可能只把未来视作一团迷雾。如果你认为自己的未来是明确的，那么提前了解未来，并且努力打造未来就是有意义的。但如果你脑海里的未来只是一团迷雾，无法预测，那你就会萌生放弃掌控它的念头。

把未来看成不确定的态度正好可以解释当今世界功能失调的原因，就是把过程看得比实质重要：当人们缺少具体的实施计划，他们就会依照惯例，尽量把多种选择组合起来。美国现在就是这样。在初中时，我们被鼓励积极参加"课外活动"。到了高中，目标高远的学生竞争得更激烈，个个都想生出三头六臂，变得无所不能。直到进入大学我们才发现，这10年的努力只不过是为一个完全不了解的未来填写了一张令人困惑的多元化的简历罢了。不管怎么样，也算是做好了准备——没有目标的准备。

而一个明确的愿景可以坚定人的信念。与其努力成为一个各方面都一知半解的庸才，还美其名曰"全能人才"，一个目标明确的人往往会选择一件最该做的事，并专心去做好这一件事。与其不知疲倦地工作，最终却只把自己变得毫无特色，不如努力培养实力，以求独霸一方。现今的年轻人并没有做到这些，因为他们周围的每个人都已经对明确的世界丧失信念。没有人会因为仅仅一方面特别杰出而进入斯坦福大学，除非他擅长的那一方面碰巧和传接球有关[1]。

有些人认为未来比现在更好，有些人认为未来比现在更糟。乐观的人迎接未来，悲观的人害怕未来。这些可能性组合成四种观点。

对未来不明确的悲观主义

每种文化都有从黄金时期走向衰败的故事，而几乎历史上所有民族都是悲观的。甚至今天，悲观情绪仍左右着世界的大部分地区。一个对未来不明确的悲观者看到的未来是阴郁的，但是他束手无策。这描述的恰是 1970 年后的欧洲，当时的欧洲笼罩着

---

[1]　意指有体育特长的学生在入校时会有所优待。——编者注

官僚主义。现在整个欧元区都处在一场慢性危机中，没有人对这种状态负责。欧洲中央银行除了临时应急外，什么用也没有：美国财政部在美元上印上了"我们相信上帝"；欧洲央行也可以在欧元上印上"先缓一缓"。欧洲人只是在事情发生时做出反应，希望事情不要恶化而已。对未来不明确的悲观主义者不知道不可避免的衰退会加快还是放慢，是毁灭性的还是平缓的。他们只知道等着事情发生。这样等的时候，他们还可以吃吃喝喝快快乐乐，所以才有了欧洲著名的假日狂潮。

表 6-1　各国看待未来的方式

	明确的未来	不明确的未来
乐观的未来	1950~1970 年的美国	1982 年至今的美国
悲观的未来	现在的中国	现在的欧洲

成功不是中彩票

对未来明确的悲观主义

　　一个对未来明确的悲观主义者相信未来是可知的，但却是暗淡的，所以他必须提前做好准备。也许当今的中国是最典型的对未来明确的悲观主义者。美国人看见中国的经济迅猛增长（自从2000年以来，每年都有10%的增长），便认为中国是一个自信能够掌握自己未来的国家。但这是因为美国人仍然很乐观，并以同样的乐观看待中国。从中国的角度来看，经济增长得还不够快。其他国家都害怕中国将要统治整个世界，而中国是唯一一个认为自己不会统治世界的国家。

　　中国之所以增长得如此迅速是因为它的起步基础很低。对中国来说，最容易的发展方式就是不断学习已经在西方行之有效的模式。中国现在就在做这样的事情：使用更多的火电，建更多的工厂和摩天大楼。因为人口数量巨大，资源价格不断攀升，没有什么办法能使中国人民的生活水平完全赶上世界那些最富有的国家，中国人也知道这一点。

　　这就是为什么中国仍执着地选择了这条有风险的道路。老一辈的中国人孩童时都经历过饥荒，因此展望未来时，总会考虑到天灾。中国公众也知道"冬天"即将来临。局外人着迷于中国内部的巨大财富，但是他们没有注意到，富有的中国人正努力把自己的财产转移出国，贫穷一些的则能省就省，以求储备充足。中国各阶层人士都对未来严阵以待。

对未来明确的乐观主义者

在对未来明确的乐观主义者眼中，如果计划缜密，工作努力，未来会比现在更好。从 17 世纪一直到 20 世纪五六十年代，对未来明确的乐观主义者都领导着西方世界。科学家、工程师、医生、商人使西方世界的人们比所想象的更富裕、更健康、更长寿。卡尔·马克思和弗里德里希·恩格斯就看得非常清楚。

19 世纪资产阶级创造的生产力比之前所有时代加起来还要大。人定胜天，机械化、工农业的化学应用、蒸汽轮船、铁路、电报、陆地基础建设开发、开凿运河等，仿佛用法术从地底召唤出大量人口——之前哪个世纪的人会想到社会劳动会蕴藏着如此巨大的生产力？

每一代富有创造力和远见的人都胜过前一代。1843年，伦敦公众就可以通过新挖的地下隧道穿过泰晤士河。1869年，苏伊士运河使欧亚船队不需要绕过好望角而直接到达印度洋海域。1914年，巴拿马运河缩短了从大西洋到太平洋的航程。甚至经济大萧条都没有阻碍美国的前进，美国被视为高瞻远瞩的乐观主义者的聚集地。帝国大厦在1929年动工，1931年竣工。金门大桥1933年开始建造，1937年建成。曼哈顿计划（美国开发核武器计划的代号）1941年发布，到1945年就已经生产出了世界上第一枚核弹。在和平年代，美国人仍继续改造世界：州际高速路1956年投入建设，1965年两万英里的公路就已经投入使用。美国人明确的计划甚至超出了地球：美国航天航空局的阿波罗计划1961年开始，1972年还没有结束时就把12个人送上了月球。

大胆的计划并非只有政治领袖或政府的科学家才能做出来。20世纪40年代后期，一个名叫约翰·雷伯的加利福尼亚人设想对整个旧金山湾区的自然地理进行改造。雷伯是一名老师、一个业余戏剧制作人、一个自学成才的工程师。他并不在意自己没有文凭，公开提议要在湾区建两个大坝，两个蓄水的淡水湖，以供饮水和灌溉，还要开拓两万英亩的土地以供发展。虽然他并没有

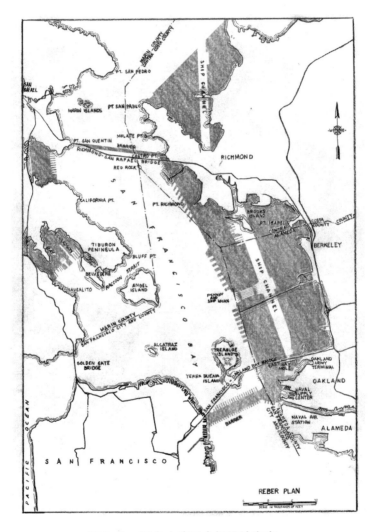

图 6-1　旧金山湾区大坝设计方案

权势，但人们仍是以严肃的态度对待雷伯的计划。他的计划得到了加利福尼亚报纸编辑委员会的支持。美国国会为计划的可实施性举行了一个听证会。陆军工程兵甚至在索萨利托一个洞穴状的仓库里建造了一个 1.5 英亩的湾区模型，进行实验。结果证明技术存在缺陷，所以计划作罢。

但是如果放在今天，会有人一开始就把这样的想象当回事儿吗？在 20 世纪 50 年代，人们广纳计划，而且探求计划的可行性。而今天，一个在校教师提出的富有雄心的计划肯定会被当成怪诞想法，弃之不用；稍有权势的人提出的长远愿景都会被嘲笑为狂妄自大。现在你仍旧可以在索萨利托的仓库里看到那个湾区模型，但那里也不过是一个观光景点罢了：这个对未来的宏伟规划现在只被当成过往的好奇心而已。

对未来不明确的乐观主义

20 世纪 70 年代悲观主义主宰的阶段过去之后，迷茫的乐观主义者从 1982 年开始主宰美国的思想。那时牛市开始抬头，金融代替了建筑工程成为未来发展的手段。一个对未来不明确的乐观主义者只知道未来会越来越好，却不知道究竟有多好，因此不去制订具体计划。他想在未来获利，但是却认为没有必要制订具体规划。

与其努力数年开发一种新产品，迷茫的乐观主义者选择改进已有产品。银行家调整现有公司的资金结构，从而获利。律师解决旧议题引发的争端或是帮助其他人打理事务。私募基金投资人和管理顾问也没有开创新事业，他们持续地调整经营流程，提高旧业务的效率。毫不意外，这些领域吸引了大量优秀的常春藤盟校的高才生；这样一份既可以使你成为精英，又承诺你拥有自由选择权的以过程为导向的职业，难道不是对你这20多年来苦心打造超强简历的嘉奖吗？

近些年，毕业生的家长总是鼓励他们走既定的轨道。婴儿潮培养出一代迷茫的乐观主义者，他们理所当然地享受着不费吹灰之力得来的成果。不论你是出生在1945年，还是1950年，抑或是1955年，在你生命的头18年，你都会觉得世界真是越来越好，但这些和你根本一点关系都没有。科技进步好像自动加速了，因此赶在婴儿潮出生的人伴着对未来的期望长大，却没有制订具体计划去实现这些期望。当科技发展止步于20世纪

第6章

成功不是中彩票

70 年代时，大部分婴儿潮时期出生的精英恰好挤入了高收入群体，使他们成人后的生活一年好过一年，变得越来越富有，越来越成功。而他们那一代的其他人却被甩在了后面，富有的赶潮儿现在可以左右舆论，也没有看到什么理由去质疑自己天真的乐观精神。既定的道路适合他们，他们无法想象既定道路会不适合自己的后代。

马尔科姆·格拉德威尔说，如果你不了解比尔·盖茨幸运的生活环境，你就不能明白比尔·盖茨的成功：他成长在一个生活优越的家庭，所上的私立学校配有电脑实验室，童年好友是保罗·艾伦。但是如果你不知道马尔科姆·格拉德威尔是赶着婴儿潮出生的人（生于 1963 年），你也就不能理解他的言论。这些婴儿潮时期出生的人长大后，认为成功人士之所以能够成功是由其个人背景决定的，而个人背景具有很大的偶然性。但是他们忽视了更大的社会背景：这一代人从孩童时期就过高地估计了机遇的力量，低估了规划的重要性。格拉德威尔开始时想要打破商人白手起家的神话，但是事实上他自己的解释就是对这代人传统想法的阐述。

当今的世界——对未来不明确却很乐观

不明确的金融

在一个明确乐观的未来中，会有工程师设计水下城市和太空定居地，而在一个不明确的乐观未来中，会有更多的银行家和律师。金融其实是不明确思想的集中体现，因为只有人们不知如何赚钱时，才会想到去搞金融。如果不去法学院，优秀的大学毕业生会选择华尔街，这是因为他们对自己的职业生涯没有切实的规划。而一旦他们到了高盛，就会发现金融界每件事都不明确。你仍然会乐观，因为你渴望成功，但是根本问题在于市场具有随机性。你无法明确地或实质地了解任何事情，而且多样化变得极其重要。

金融的不确定性可能很诡异。想想当那些成功的企业家卖了他们的公司时会发生什么？他们拿钱做什么？在这样一个金融化的世界中，大概是这样的：

- 企业家不知道拿钱做什么，所以存在银行里了。

成功不是中彩票

- 银行家不知道拿钱做什么，所以他们把钱交给不同的机构投资人，用于不同方向的投资。
- 机构投资人不知道拿钱做什么，于是他们投资到了股票。
- 公司试图产生自由现金流来提升股票价格，做法是发放股息，或是回购股份，然后周而复始。

在这样的循环中，人们都不知道拿钱在实体经济中做什么。但是在一个未来不明确的世界中，人们就是喜欢无限的可选择性；钱比其他任何用钱能得到的东西更有价值。只有在一个明确的未来中，钱才是达到最终目的的手段，而非最终目的。

不明确的政治

西方国家的政客总是在选举期间才会对民众负责，而现在他们已经调整到时时刻刻都会留意民众的意见。现代的投票制度促使政客把自己的形象裁减得与民众所希望的一样，而在多数情况下，他们确实做到了。统计学家纳特·希尔弗对选举结果预测的准确度令人惊讶，但是更让人注目的是每四年一次的预测造成的话题有多大。现在让我们更着迷的是利用统计学预测未来几周国民的想法，而不是 10 年或 20 后的国家蓝图。

不单单是选举过程——政府的性质也已经变得不明确了。政府过去有能力协调解决复杂的问题，如原子能武器和月球探索。而经过 40 年目的不明的缓慢前行，政府现在的作用只是提供保险；我们对重大问题的解决方法就是国家医疗保险、社会保障，和一系列让人眼花缭乱的失业救济项目。自 1975 年起，这些福利支出每年都在侵蚀政府的自由支配开支。为了增加可自由支配开支，我们需要明确的计划来解决具体的问题。但是依据福利开支的不明确逻辑，我们只能寄出更多的支票，才能把事情办好。

不明确的哲学

你不仅能在政治学领域看到这种不明确的态度，在抱持着左右两派不同理念的政治哲学家身上也能看到。

古代世界的哲学是悲观的：柏拉图、亚里士多德、伊壁鸠鲁和卢克莱修都接受人性潜力应该受到严格限制之说。唯一的问题

成功不是中彩票

是怎样坦然接受我们的悲剧命运。而现代大多数哲学家都变得乐观了。19 世纪的哲学家从思想右倾的赫伯特·斯宾塞到保持中立的黑格尔，再到左倾的马克思，都相信进步的力量。（想想前文中马克思和恩格斯对资本主义科技胜利的赞扬。）这些思想家们期待物质进步能够极大地改变人类生活，使其向更好的方向转变：他们是明确的乐观主义者。

在 20 世纪后半叶，迷茫的哲学成为前沿思潮。两大杰出的政治思想家——约翰·罗尔斯和罗伯特·诺齐克，看上去站在两个截然相反的对立面：在平等主义的左倾思想上，罗尔斯关注的问题是公平和分配；在自由主义的右倾思想上，诺齐克关注的是个人自由最大化。他们都相信人类可以和平相处，因此与古代哲学家的悲观思想不同，他们都是乐观主义者。然而，与斯宾塞或马克思不同，罗尔斯和诺齐克都是不明确的乐观主义者：他们对未来没有任何具体的规划。

他们的不明确态度以不同的形式呈现。罗尔斯的《正义论》以著名的"无知之幕"开篇：对于任何了解世界真实状况的人来说，公平政治的推论是不成立的。罗尔斯没有致力于改变我们现实世界中的人和技术，相反，他幻想出了一个"内在稳定"的社会，这个社会中存在公平，却缺少活力。诺齐克反对罗尔斯的公平概念"模型"：对于他来说，任何自愿交换的行为都应该被允许，任何社会模型都不可能一成不变，不可能通过强制手段维护公平。他和罗尔斯一样，对好的社会没有具体的概念，因为他们都只专注于过程。现在我们夸大了左倾自由平等主义和个人自由主义之间的差别，因为几乎每个人都在与别人分享着自己不明确的态度。在哲学界、政治学界，还有商界，对于过程的讨论已经无限延迟了对未来计划的制订。

表6-2　不同思想家对未来的看法

	明确的未来	不明确的未来
乐观主义	黑格尔 马克思	诺齐克 罗尔斯
悲观主义	柏拉图 亚里士多德	伊壁鸠鲁 卢克莱修

第6章

成功不是中彩票

不明确的人生

我们的祖先曾研究过人的寿命，并企图延长人的寿命。在 16 世纪，西班牙征服者们曾在佛罗里达的丛林中寻找不老泉。弗朗西斯·培根写道，"生命的延长"应该考虑用医学来实现——这种医学技术将会是最高尚的。在 17 世纪 60 年代，罗伯特·波义耳把延长生命（和"重拾青春"）放在未来科学愿望单的第一位。不管是通过地理探索，还是实验研究，文艺复兴时期最杰出的科学家都认为死亡是可以战胜的。（而这些抗拒死亡的人中有一些在挑战死亡的行动中阵亡了——培根患上了肺炎，于 1626 年去世，当时他还在进行实验研究：如果把一只鸡冻在雪里，它的寿命是否会延长。）

我们仍没有揭开生命之谜，但是 19 世纪的保险公司和数据统计学家成功地揭示了一个关于死亡的秘密，而且这个秘密直到今天还占据着我们的思想：他们发现了把死亡简化成数学概率的方法。"生命表"告诉了我们在每个年纪我们死亡的概率，这些都是前辈人不知道的。但是，为了得到更有利的保险合同，我们似乎已经放弃了对长寿秘密的研究。目前有关人类寿命的知识已经使人们意识到生死是自然的事情。今天，社会中流传着以下两点看法：死亡不可避免，而且随机发生。

同时，随机的态度也给生物学本身带来了影响。1928 年，苏格兰细菌学家亚历山大·弗莱明在实验室忘记盖上培养皿的盖子，后来在培养皿中发现了一种神秘的能够对抗其他菌种的霉菌：就这样，他很偶然地发现了青霉素。科学家之后就不敢小看偶然发现的机会了。现代的新药研发将"弗莱明式偶然"的机遇扩大了 100 万倍：制药公司随意组合分子化合物，进行研究，希望能有新的突破。

但是结果往往不如从前。除了在过去 200 年中取得的令人瞩目的进展外，在最近的几十年中生物技术一直没有满足投资者或患者的期望。"倒摩尔定律"（Eroom's Law），揭示了药物开发面临的困境，自 1950 年起，批准投资 10 亿美元研发的新药数量每 9 年就会减半。信息技术这些年发展得越来越快，而生物技术面临的问题是可否与信息技术同步发展。表 6–3 将生物技术初创企业与计算机软件初创企业进行了比较。

表 6-3   生物技术初创企业 vs. 计算机软件初创企业

	生物技术初创企业	计算机软件初创企业
研究对象	不可控的有机体	极为明确的代码
背景环境	了解不足的自然界	充分了解的人造世界
研究方法	不确定，随机	确定，工程学
监管要求	严格规范	基本规范
成本	高（每种药需投入 10 多亿美元）	低（一点启动资金即可）
团队	高薪，合作不密切的实验室工作者	执着的创新型电脑专家

生物技术初创企业是不明确思维的一个极端例子。研究者们只拿可能行得通的东西实验，而不是去发展人体系统如何运作的确定理论。生物学家说他们需要采取这种做法，因为基础生物学太难。按他们所说，信息技术初创公司之所以经营得起来，是因为我们自己创造了电脑，而且使其可靠地执行我们的指令。生物技术之所以困难是因为身体不是我们设计的，而且我们越是了解自己的身体，就越是发现身体真是太复杂了。

但是，人们现在可能会产生疑问：是否生物学上的困难已经成为生物技术初创公司采用不确定方式经营的借口？大多数参与其中的人都期待最终会有成果，却极少有人抱持成功需要的热情，全心投入特定的公司。生物技术初创公司的创办人是教授，但他们往往不做全职的雇员，而去做兼职顾问——甚至在那些以自己的研究项目为起点的生物技术公司，情况亦是如此。之后人人都去效仿教授的不明确态度。自由主义者通常会说是繁杂的规则限制了生物技术的发展，情况的确如此，但是不明确的乐观可能会对未来生物技术的发展构成更大的挑战。

对未来不明确的乐观主义可能持久吗？

我们不明确的乐观决定会带来什么样的未来？如果美国家庭存钱的话，至少它们之后会有钱花。而如果美国公司投资的话，它们可以期待在未来收获新的财富。但是美国家庭没有存钱，美国公司也只会任由资金滞留账上，不去投资新项目，因为它们对未来没有任何切实的计划。

另外三种对未来的态度都有一定作用。对未来明确的乐观主义可以使你创造出你想要的未来。对未来明确的悲观主义可以对已经存在的东西进行复制，毫无新意。对未来不明确的悲观主义

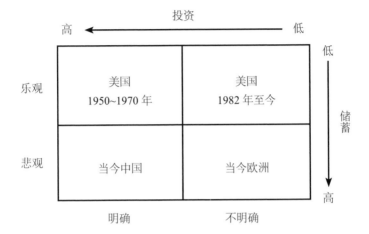

图 6-2　各国的投资与储蓄

也有作用，因为这样的未来会自我实现：如果你是一个对生活要求不高的懒人，你的要求很容易就达到了。但是对未来不明确的乐观主义看起来根本无法持续：如果没有规划未来，未来怎么可能越变越好呢？

事实上，现代社会的大多数人应该都听说过：没有计划的进步就叫"演化"。达尔文写道：生命就算没有准备，也会自己"演化"。每个生命都只是某些有机体随机变异的结果，而最佳版本会在最后胜出。

达尔文的理论可以解释三叶虫和恐龙的起源，但是能解释与生物相差甚远的其他领域的现象吗？就如牛顿的物理学说不能解释黑洞或宇宙大爆炸一样，达尔文的生物学说也不能说明怎么建设一个更好的社会，或是怎么白手起家，创办一个新企业。但近年来，达尔文学说（或伪达尔文学说）在商界的隐喻已经司空见惯。记者把在竞争生态系统中的生存类比为在竞争市场中企业的生存，因此报纸上出现了诸如"数码达尔文学说"、"网络达尔文学说"和"点击量最高者生存"等新闻标题。

甚至在工程师主宰的硅谷，现在的流行词也是要求建造一个"精益的初创公司"，要能"适应"不断变化的环境，并随着环境变化而"演化"。想创业的人被告知在商界所有事情的发生都不可预料：我们应该做的就是倾听顾客的需要，创造"最基本的可用产品"，然后反复修正，最后走向成功。

但是精益是一种方法，而不是目标。对已经存在的事物做出小的改变可能让你达到局部市场最大化的成绩，但是不能帮助你取得全球市场的最大化。你可以推出一款最好的应用程序，让人们可以通过 iPhone 订购手纸。但是没有大胆计划的修正不会使你实现从 0 到 1 的跨越。对于一个对未来不明确的乐观主义者，公司是最奇怪的地方：没有一个计划，你有什么理由希望自己的生意成功？达尔文主义在其他环境中也许是个有用的理论，但是对于初创公司，最有效的还是富有智慧的设计。

长期规划仍是最重要的

规划优先于机遇是什么意思呢？现在，"好的设计"是一种审美需求，任何人，从懒人到雅皮士，都对自己的外在形象非常在意。确实，每个伟大的企业家都首先是一位设计师。任何手里拿着苹果的智能设备或是外形流畅的苹果笔记本电脑的人都会感觉到乔布斯对产品完美的视觉和体验的痴迷。但是我们从他那里学到的最重要的东西与美学无关。乔布斯最好的设计是他的企业。苹果公司发挥想象，并多年执行明确的未来计划，去创造新产品，有效分销。忘掉"基本的可用产品"吧——自从乔布斯在 1976 年创立了苹果之后，他就意识到只有对未来精确地规划，才可以改变整个世界，而非倾听焦点小组的意见或是复制其他人的成功。

长期规划在我们未来不明的追求短期利益的世界里经常被低

估。当 2001 年 10 月第一部 iPod 发布时，产业分析师对它的评论只是"对麦金塔电脑用户有很好的号召"，对其他人"毫无影响"。乔布斯计划使 iPod 成为新一代便携式移动装置，但是大多数人都看不到这一点。图 6-3 公司的股价走向向我们展示了这个长期计划的结果。

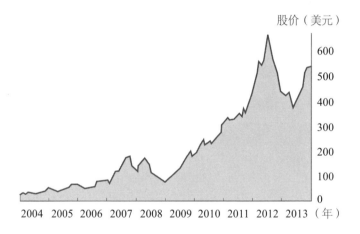

图 6-3　苹果公司的股价走向

计划的力量解释了评估私有企业价值的困难。当一家大公司想要收购一家成功的初创公司时，它的出价要么太高，要么太低：初创公司的创立者只有在对公司没有确切规划的时候才会卖掉公司，而这时收购者就可能是出价高了；一个对未来计划明确的创立者不会把公司卖掉，这就说明买家的出价不够高。2006
年 7 月，当雅虎公司出价 10 亿美元要收购 Facebook 时，我认为
如果是我们，至少会考虑一下。但是马克·扎克伯格在会议上
宣布："好了，伙计们，这个会议只是走个程序，10 分钟也不用。
我们显然不会把 Facebook 卖掉。"马克清楚他能够领导公司开创
出怎样的未来，而雅虎不清楚。在一个人人看未来都迷茫的世界
里，目标明确的企业总是被低估。

你不是一张彩票

我们必须重新找回明确的未来道路，但在西方世界，需要一
场文化革命才能真正做到。

从哪里开始呢？约翰·罗尔斯必须被哲学系扫地出门，马
尔科姆·格拉德威尔必须被说服改变他的理论，而且民意测验
不能影响政治。但是世界上无数的哲学教授和格拉德威尔都积习
难改，更不用说政客了。就算有智慧，出于好意，想在人多的地
方做些改变，也是极度困难的事。

初创企业是你可以明确掌握尽最大努力的机会。你不只拥有自己生命的代理权，还拥有这世界上某个重要角落的代理权。而这一切都要从抵制不公平的概率主宰开始，因为你并不是一张被概率决定命运的彩票。

ZERO TO ONE

NOTES ON STARTUPS,
OR HOW TO BUILD THE FUTURE

————————

第 7 章

向钱看

钱能生钱。"凡是有的，还要加给他，叫他有余。凡没有的，连他所有的，也要夺过来。"（《马太福音》第 25 章 29 节）当爱因斯坦宣称复利是"世界第八大奇迹"，是"有史以来最伟大的数学发现"，甚至是"宇宙最强大的力量"时，他同样对这句《圣经》箴言产生了共鸣。不管你赞同哪种说法，其中的观点是一致的：不要低估了指数级增长。事实上，并没有什么证据显示爱因斯坦确实提到过这些。但是硬是把话塞给爱因斯坦恰恰强化了这样的信息：爱因斯坦一生奉献出的智慧本金带来的利息直至他去世后仍源源不断，连他没有讲过的话都会归功于他。

大多数前人的话都已经被遗忘。只有少数人，如爱因斯坦和莎士比亚的话却一直被后人引用。不要惊讶，因为少数人往往会取得极大的成果。1906 年，经济学家维尔弗雷多·帕累托提出了后来的"帕累托法则",也叫80-20法则。这是因为他发现意大利80%的土地掌握在20%的人手里——这个现象就好像他花园里20%的豌豆荚产出了占总量80%的豌豆一样自然。这个异乎寻常的以少胜多的模型在自然世界和人类社会中随处可见。比如最有破坏力的地震比所有小地震加起来造成的破坏还严重,最大的城市比所有微型城市加起来还要大,垄断企业捕获的价值比几百万大同小异的竞争者所捕获的还要多。不管爱因斯坦有没有说过那些话,幂次法则(power law)都是宇宙的法则,是宇宙最强大的力量,之所以会取这样的名字,是因为指数方程描述的是最不平均的分配。它完整定义了我们周围的环境,而我们几乎毫无察觉。

这一章将解释幂次法则在你向钱看时是如何体现的:风险投资中,投资者都努力想从公司创立早期呈指数级的增长中获利,而只有一小部分公司较之其他公司获得了呈指数级增长的价值。大多数企业根本不需要和风险投资基金打交道,但是每个人都需要明确一件事,一件甚至是风险投资家也在努力去明确的事:我们所在的世界不是正常的世界,而是处在幂次法则之下。

风险投资中的幂次法则

风险投资家的任务是鉴定那些刚起步的前景光明的公司，投资这些公司并从中获利。他们从机构和富人那里筹到钱，以此为资本，投资到他们认为会升值的科技公司。如果结果证明他们的判断无误，他们就会获得收益中的一部分——通常是20%。如果一家风险投资基金所投资的公司升值，或是投资的公司上市，或是被更大的公司收购，风险投资基金都会得到回报。风险投资基金通常要10年之后才能退出，因为成功的公司需要时间成长。

但是风险投资基金所支持的大部分公司都等不到上市或是被收购，通常刚起步就失败了。因为这些早期的失败，风险投资基金一开始都会亏损。当投资组合里有成功的公司进入了指数级增长期，并且开始扩大规模时，风险投资家希望投资基金的价值能在几年的时间内得到极大的提升，达到收支平衡，甚至收入大于支出（见图7-1）。

最重要的问题是什么时候这种指数级增长会出现。对于大多数基金来说，答案是永远都不会。大多数初创企业失败了，投资也随之烟消云散。每个风险投资家都知道自己的任务是寻找可以

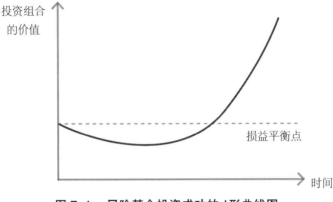

图 7-1　风险基金投资成功的 J 形曲线图

成功的企业。不过，就算是经验丰富的投资者也知道这只是表面现象。他们知道公司都有差异，却低估了差异的程度。

错误就在于他们期待风险投资的回报呈正态分布：也就是说，没有希望的公司会倒闭，中等公司会一直持平，好公司的回报会达到两倍甚至四倍。假设了这个平淡无奇的模式后，投资者进行了多种投资组合，希望其中成功公司的回报可以抵消失败公司带来的亏损。

但是"撒网式投资，然后祈祷"这种方法通常会全盘皆输。这是因为风险投资的回报并不遵循正态分布，而是遵循幂次法则：一小部分公司完胜其他所有公司。如果你看重撒大网，而不是把注意力放在仅仅几个日后价值势不可当的公司上，一开始你就会与这些稀有公司失之交臂。

图 7–2 清楚地展现出现实和错误认知之间的差异。

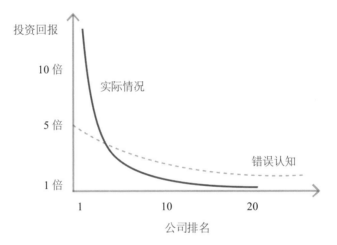

图 7–2　公司排名与投资回报的关系

Founders Fund的业绩表现解释了这个扭曲的模式：Facebook是我们 2005 年的投资组合里表现最好的公司，回报比其他所投资公司加起来的还要多。帕兰提尔，是表现第二好的公司，带来的回报比刨除Facebook外所有公司加起来的还要多。这个高度不平均的模式并非偶然：我们其他的基金也都出现过这种情况。风险投资中最大的秘密是：成功基金的最佳投资所获的回报要等于或超过其他所有投资对象的总和。

这使风险投资家们总结了两个很奇怪的规则。第一个规则，只投资给获利可达整个投资基金总值的有潜力公司。这个规则太可怕了，它一下子就把大多数可能的投资消除了。（要知道即便是很成功的公司，规模通常都不怎么大。）这个规则引出了第二个规则：因为第一条规则太严苛，所以不需要其他规则。

想想打破第一条规则是什么后果吧。安德里森·霍罗威茨投资基金2010年在Instagram公司投资了25万美元。当Facebook两年后用10亿美元买下该公司时，安德里森已经赚到了7 800万美元——在不到两年的时间，就收到了312倍的回报！这种惊人的回报也令其赢得了硅谷最好公司的名声。但是奇怪的是，这还远远不够，因为安德里森·霍罗威茨的基金规模是15亿美元：如果只开出25万美元的支票，公司得找到19个Instagram，才能收支平衡。这就解释了为什么投资者总是对值得投资的公司投资得更多。（公平地说，如果不是先前的投资占去了资金，安德里森本该在Instagram后几轮投资中投入更多的资金。）风险投资基金必须发现若干能成功实现从0到1跨越的公司，然后倾尽财力支持它们。

当然，没人能事先就确切知道哪些公司会成功，因此即使最好的风险投资公司也会有一个"投资组合"。但是，一个好的投资组合中，每家企业都必须真正具有取得极大成功的可能性。我们的创始人基金，大约只关注五到七家企业，因为这些企业具有独特的基本面，我们认为它们以后都会拥有数十亿美元的价值。不管何时，如果你不关注事业本质，而是关注其是否适合多元化避险策略的财务问题，那么投资就像是在买彩票。而一旦你认为自己在抽奖，你就已经做好了亏损的心理准备。

为什么人们没有看到幂次法则

为什么专业的风险投资家没有看到幂次法则？一是因为幂次法则要经过一段时间后才能清晰地显示出来，甚至科技投资者也通常活在当下，不能预知未来。设想一下，一家投资公司投资了10家有潜力成为垄断者的企业——这本身就已经是一种少见的相当有纪律的投资组合。那些公司在呈指数级增长前的早期阶段十分相似，如图7-3。

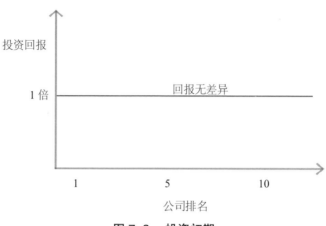

图 7-3　投资初期

在接下来的几年中，一些公司会失败，一些会成功；估值也会改变，但是指数级增长和线性增长之间的不同并不明显。

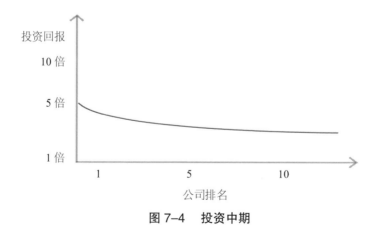

图 7-4　投资中期

但是，10年后，风险投资基金的投资组合里不再是分出成功和失败的投资，而只会分成一项主要投资和其他投资。

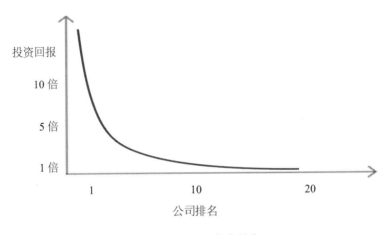

图 7-5　投资成熟期

但是不管幂次法则的结果多明显，都无法反映出日常的经验。因为投资者用他们的大部分时间来打理新的投资和初创公司，而他们参与经营的大多数公司明显很普通。投资者和创业者每天能感知到的差异大部分来自成功程度的不同，而不是绝对优势和失败之间的不同。而且没有人想要放弃一项投资，风险投资家在问题最多的公司上耗费的时间往往比在最成功的公司上耗费的时间多。

如果专门研究呈指数级增长的初创公司的投资者都忽视了幂次法则，其他人忽视了也就没什么可惊讶的了。幂次法则的分布很广，显而易见，却为人所忽略。例如，硅谷之外的多数人想到风险投资，脑海里可能都会浮现出一群怪人——就像美国广播公司的《创智赢家》(*Shark Tank*) 节目一样，只是没有商业广告而已。毕竟，在美国每年成立的新公司中，只有不到 1% 能得到风险资本，而且所有的风险投资只占国内生产总值的不到 0.2%。但是这些投资对整个经济发展的推动远远大于这个比例。风险投资基金支持的公司创造的工作岗位占私营公司全部工作岗位的11%。确实，12 家大型科技公司都得到了风险投资基金的支持。那 12 家企业加起来价值超过 2 万亿美元，比其他所有科技公司加起来都多。

利用幂次法则的作用

幂次法则不只对投资者很重要，它对每个人都很重要，因为每个人都是投资者。一个创业者做的最大投资，就是花时间成立新公司。因此每个创业者都必须思考他的公司以后是否会成功、会有价值。同样，每个人都是一个投资者。你之所以选择一份职业，是因为你相信自己选择的工作在今后的几十年中会变得很有价值。

对于怎样保证未来价值这个问题，最普遍的回答是多样化的投资组合——"别把所有鸡蛋都放在一个篮子里"，每个人都被告知不要孤注一掷。像我们所说的，甚至是最好的风险投资者都会列出投资组合，但是懂得幂次法则的投资者所列的备选投资公司会尽可能少。投资组合的想法源于民间智慧和金融业惯例，而这些想法却认为最有利的做法是多元化下注。你投资的公司越多，在不确定的未来，你所承受的风险就越小。

但是人生对初创公司创建者和任何个人都不是投资组合。一个创业者不能把自身"多元化"：总不能同时运营十几家公司，然后期待其中一家会脱颖而出吧。而个人也不能为了人生多元化，同时留住十几种可能性差不多的职业。

学校教给我们的却恰恰相反：体制化教育传授的是无差别的一般知识。每个身在美国教育体制中的人都没有学会用幂次法则来思考。每所中学不管什么课都一律上 45 分钟，每个学生都以相同的步伐向前迈进。在大学中，模范学生即使对另类冷门的课程也投入全力，想以此保证自己的未来发展。每所大学都相信"卓越"，教育部门随意给出的几百页按字母排序的课程表看起来就是为了确保"你做什么并不重要，重要的是你要把它做好"。你做什么并不重要？真是彻头彻尾的错误。你应该将全部注意力放在你擅长的事情上，而且在这之前要先仔细想一想未来这件事情是否会变得很有价值。

这种想法用在初创公司上就是，即使你非常有才能，也未必要创建自己的公司。现在自己开公司的人太多了。懂得幂次法则的人在创建企业时会比其他人更犹豫：他们知道加入一个发展迅速的一流企业会获得更大的成功。幂次法则意味着公司之间的差别会使公司内部角色的差别相形见绌。如果你创建自己的企业，你拥有100%的股权，一旦公司倒闭了你就赔上了所有。相反，如果你只拥有谷歌公司0.01%的股权，最后获得的回报将令你难以置信（要超过3 500万美元。）

如果你已经开始运营自己的公司了，你必须谨记幂次法则，把公司运营好。最重要的事情都是独一无二的——一个市场可能会胜过其他所有市场（我们在第5章讨论过）。一种分销策略通常要优于其他所有策略（将在第 11 章中介绍）。时机和决策也要遵循幂次法则，某些关键时刻远比其他时刻重要（请参阅第 9 章）。但是，你不能相信否定幂次法则，而且阻止你用幂次法则做出准确决定的世界。最重要的事往往不能一眼就看出来，它甚至像个秘密不为人知。但是在幂次法则的世界中，如果你不认真想一想你的行动会使公司落在 80–20 曲线的什么位置上，后果你真的承担不起。

ZERO TO ONE

NOTES ON STARTUPS,
OR HOW TO BUILD THE FUTURE

———————

第 8 章

秘密

当今众人皆知、家喻户晓的观念都曾是未知的。例如，三角形三边之间的关系就曾是千年之谜，经过冥思苦想，毕达哥拉斯才发现其中奥秘。若你想了解毕达哥拉斯的新发现，加入他创建的提倡素食的学派是不二之选。如今，他在几何学方面的这一发现已然成为常识，是小学生都知道的一个简单真理。成为常识的真理虽然很重要（例如初等数学），但它却不能给你带来任何优势，因为它已不是秘密。

还记得我们的反主流问题吗：在什么重要问题上你与其他人有不同看法？如果我们今天对自然的了解已经达到未来才能达到的程度，如果今天所有的真理已被领悟，如果再无秘密可探索，那么这个问题就寻不到好答案。除非世界上还有秘密有待发现，否则与众不同的想法就毫无意义。

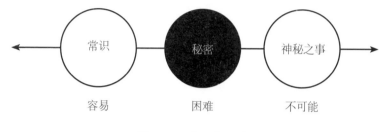

图 8-1　常识与秘密

当然，我们还未了解的事物仍有许多，但有些是无法弄清楚的，那不是秘密，而是无解之谜。比如，弦论利用被称为"弦"的一维物体来解释宇宙物理现象。弦论正确吗？人们不可能设计实验来证明。如果可能，也只有少数人能够理解其内涵。但不理解只是因为难以理解吗？还是因为它是不解之谜？两者的区别很关键。人们能完成困难的事情，但无法完成不可能完成的事情。

回忆一下商业版的反主流问题：哪些有价值的公司还没有人创建？每个正确回答都必定是个秘密：有些事很重要却无人知晓，有些事困难却可为。如果世界上还有很多秘密，那就还可能出现很多有望改变世界的企业。本章将帮助你思考秘密，并发现秘密。

为什么人们不探索秘密

大部分人表现得像是这世上已没有秘密可发现。这一观点的极端代表是泰德·卡辛斯基，他因"大学炸弹客"而臭名昭著。卡辛斯基其实是个神童，16岁就考入哈佛大学。此后又获得了数学博士学位，并成为加州大学伯克利分校的一名教授。但你听说过他，却只是因为他用炸弹对教授、技术专家和商业人士进行了17年的恐怖活动。

1995年底，当局对"大学炸弹客"的身份及住所还一无所知。最大的线索是一篇出自卡辛斯基之手、匿名寄到报社的35 000字的声明。联邦调查局要求一些重要媒体发表此声明，希望从中找到突破。这个方法奏效了：卡辛斯基的兄弟认出了其写作风格并举报了他。

你可能认为那篇声明的写作风格明显带有精神错乱的迹象，可是它却出奇地令人信服。卡辛斯基指出：为了幸福，每个人都"需要制定目标，并付诸努力，而且至少要实现几个这样的目标"。他将人们的目标分为三组：

1. 稍作努力即可达到的目标。

2. 不懈努力才能达到的目标。

3. 再怎么努力都不可能达到的目标。

这是经典的三分法,将事情分为简单、困难和不可为三种。卡辛斯基认为现代人之所以郁郁寡欢是因为世界上所有的难题都已经解决,剩下的不是太简单的问题,就是不可能完成的任务,而努力追求这些目标并不能带来满足感。你能做到的,一个小孩子同样可以做到,而你不能做到的,即使是爱因斯坦也办不到。因此卡辛斯基的观点是毁灭现有的一切,远离所有的科技,让人们重新开始,再度攻克难题。

卡辛斯基的方法虽疯狂,但我们周遭有很多人都跟他一样对科技的进展失去信心。想想都市颓废派(嬉皮士的统称)微不足道却显而易见的标志:复古摄影技术、八字胡和黑胶唱片电唱机,所有这些都让人回想起过去,那时人们对未来仍抱有乐观态度。如果所有值得做的事情已经完成,你不妨假装厌恶成功,去当个咖啡师吧。

大学炸弹客　　　　　　　　　颓废派成员
泰德·卡辛斯基　　　　　　　　泰德·卡辛斯基

图 8-2　是"大学炸弹客",还是颓废派成员?

不只是恐怖主义分子和颓废派成员,所有的宗教极端主义者也持相同看法。例如,宗教极端主义不允许对难题持中立观点:不是孩子脱口而出的简单真理,就是无人能解的上帝之谜。在两者之间的就是异端邪说,也是难以证明真理的地带。在环境保护主义这一现代宗教里,简单真理是人类必须保护环境。但除此之外的事,只有大自然母亲最为了解了,她是不容置疑的。自由市场主义者遵从相似的逻辑。市场决定商品价值。即使小孩也能查询股票报价，但这些价格是否合理不容置疑，市场知道的远比我们多。

为什么好多人不相信仍有秘密有待发现？也许是因为地理学的发展。世界地图上已经没有空白之处了。若你成长于 18 世纪，还可发现新大陆，听过国外冒险故事后，你自己就能成为探险家。这种情况从 19 世纪延续到 20 世纪初，之后美国《国家地理》杂志上的照片向西方人展示了地球上最具异域风情且未充分开发地区的面貌。如今，探险家大多出现在历史书和童话书里。正如不想让自己的孩子做海盗或是独裁者一样，父母也不想让自己的孩子做探险家。或许在亚马孙丛林深处还存在为数不多的与世隔绝的部落，而且我们也知道在海洋深处还存在着最后一个人类未涉足的地方，但未知之地已不像过去那样可望而不可即了。

伴随着地理隔阂的淡化，四种社会趋势已经合力瓦解了人们仍然相信秘密存在的信念。第一是渐进主义。从小我们便被教育做事的正确方法是积跬步以至千里。如果超过正常进度，且学到了考卷范围以外的知识，你并不能因此多拿学分。反之，如果严格做到所要求的事（而且做得比同学稍好一些），你将会得到好成绩。这种做法一直延续到工作阶段，这也就解释了为什么学者们通常争相发表无足轻重的论文而不去探索新的领域。

第二是风险规避。人们害怕秘密是因为怕犯错。显然，秘密还没有经过主流的审视。如果你的目标是一生不犯错，你就不应该去探索秘密。将一生奉献于别人不相信的事情，在正确的路途上孑孑独行已是艰难，而在错误的路途上独自前行更是不可忍受。

第三是自满。社会精英享有最大的自由，也最有能力去探索新想法，但是他们似乎最不相信秘密。既然能够舒舒服服地享用已有成果，为什么还要去探索秘密呢？每年秋天，顶尖的法学院和商学院的新生欢迎词都暗含了同样的信息："进入了精英学校，你的人生就高枕无忧了。"但这件事也许只有你不相信它，它才是真的。

第四是"扁平化"。随着全球化的推进，人们认为世界是一个同质的、激烈竞争的市场：世界是"平"的。鉴于这一假设，任何一个有雄心壮志的人，在探索秘密之前都会先问自己一个问题：如果有可能发现新事物，难道全球人才库中更加聪明、更加有创造力的人还没有发现吗？这种怀疑的声音阻止了人们去探索秘密，因为身处的世界似乎大到任何个人都无法做出独特的贡献。

我们可以用一种乐观的方式来描述以上这些趋势带来的结果：创立任何狂热教派在今天看来都异想天开。而在 40 年前，人们更加认同这样一个观点——并不是所有知识都是众所周知的。从共产党到印度教克利须那派，大多数人认为他们可以加入先锋觉醒组织，以得到一条指引自己前进的道路。如今极少有人对非正统观念持严肃认真的态度，主流认为这是进步的标志。现在，疯狂的异端教派越来越少，我们应该为之感到高兴，但是为了这一收获，我们付出了沉重的代价：丧失了对等待被挖掘的秘密的好奇之心。

恪守常规的世界

如果不相信还有秘密存在，你该如何看待这个世界呢？你不得不相信人类已经解决了所有重大问题。如若现今的常规性知识都是正确的，那我们完全可以自鸣得意、沾沾自喜地说："大家各得其所，世界一切正常。"

例如，一个没有任何秘密的世界，对公平有着完美的理解。任何不公平都必然涉及一个之前极少有人意识到的道德真理：在民主社会，一种错误的做法，只有当大多数人不认为它是不公平的时候，才能延续下去。起初，只有少数主张废除奴隶制的人认为奴隶制是罪恶的。这一观点现在已是公认的了，但在19世纪初还是个秘密。认为现在的世界已经毫无秘密，就意味着我们生活在一个处处公平的社会。

在经济学方面，不相信秘密的存在，导致人们盲目相信市场的有效性。但是金融泡沫的存在表明市场有时根本不起作用。(相信市场作用的人越多，金融泡沫就越大。) 1999年，没人愿意相信人们对互联网估计过高。无独有偶，2005年，房地产业遭遇了相同问题。美联储主席艾伦·格林斯潘不得不承认"当地市场出现了金融泡沫的迹象"，但声称"就整个国家而言，房地产价格泡沫不会出现"。市场反映所有可知信息，而且不容置疑。随后全美房价下跌，2008年的金融危机，使我们损失了几万亿美元。这一事实表明，未来仍存在很多秘密，仅靠忽略它们，经济学家是不能将这些秘密消灭的。

当一个公司不再相信有秘密的存在，会有什么事发生呢？

惠普的悲惨下滑就是个警告。1990 年，这家公司有 90 亿美元的资产。接下来的 10 年是发明创造的 10 年。1991 年，惠普发明了喷墨打印机（DeskJet 500c）——世界第一款价格亲民的彩色打印机。1993 年，它推出了 OmniBook 笔记本电脑——早期"超便利"的便携式电脑之一。1994 年，它推出了印表机（OfficeJet）——世界第一台集打印、传真、复印于一体的机器。不停地拓展产品最终得到了丰厚回报：到 2000 年年中，惠普资产达到 1 350 亿美元。

1999 年末，惠普发起了一项新的品牌活动，强调它是重视"发明"的公司，但从那时开始，惠普却没再发明过新东西。2001 年，惠普成立了惠普专业与支持服务集团，辉煌的咨询服务业从此开启。2002 年，惠普与康柏电脑公司合并，想必是它已经不知道还能做什么。到 2005 年，惠普的市值跌落至 700 亿美元，大约是 5 年前的一半。

惠普的董事会是功能失调的缩影：董事们分为两派，关心新科技的只是其中一派。这一派的领导人是汤姆·珀金斯，一个工程师，他于 1963 年首次来到惠普，并在比尔·休利特和戴维·帕卡德的亲自邀请下，管理公司的研究部门。2005 年，73

岁的珀金斯仿佛从过去的乐观时代穿越而来：他认为董事会应找到最有前景的新科技，让公司来开发。但珀金斯这一派输给了他们的对手，由女董事长帕特丽夏·邓恩领导的另一派。作为银行家，邓恩认为制订未来科技计划超出了董事会的职权范围。她认为董事会做好"守夜人"就行了，只需关注会计部门是否一切正常，人们是否遵守一切规则。

在这一场内斗中，董事会中有人向媒体泄露了信息。当邓恩安排一系列非法电话监听追查泄密源头这一事实曝光时，引起了内部强烈的抵制，情况比最初意见不合时更糟糕，董事会丢尽了颜面。放弃了对科技秘密的探索之后，惠普公司为流言蜚语所困。结果是，到 2012 年末，惠普公司的市值仅为 230 亿美元，还不及 1990 年的市值（通货膨胀率调整后）。

相信秘密

不探索是发现不了秘密的。数学家安德鲁·怀尔斯的经历说明了这一点。在经过 358 年、许多数学家求证无果后（持续的失败似乎意味着这是一项根本无法完成的任务），怀尔斯终于证明了费马最后定理（Fermat's Last Theorem）。皮埃尔·德·费马在 1637 年猜想：当整数 $n > 2$ 时，关于 a、b、c 的方程 $a^n+b^n=c^n$ 没有正整数解。他宣称要写出证明，但是证明尚未写出，人却与世长辞，因此他的猜想长期以来成为数学界重要的未解难题。怀尔斯于 1986 年开始钻研此猜想，一直保守秘密，直到 1993 年他快找到答案时才说出来。经过 9 年的努力，怀尔斯在 1995 年证明了此猜想。他的成功需要智慧，更需要坚信秘密的存在。如果你认为有些困难的事情无法完成，就不会做出尝试。相信秘密才是探索有效进行的关键所在。

事实是还有许多秘密等待我们去探索，只有坚持不懈的探索者才能发现它们。在科学、医药、工程及各种技术方面还有很多事情要做。不管是常规学科方面具有竞争优势的边际目标，还是连科学革命中最大胆的人都迟疑是否要直接宣布的宏伟目标，我们都可以实现。我们可以治疗癌症、痴呆、所有老年病和代谢衰变；我们可以开发新能源来避免化石燃料引起的冲突；我们可以发明地球上更快捷的交通工具；我们还可以彻底离开地球，定居在新的疆域。但是如果我们不想了解，并迫使自己去探索这些奥秘，我们将永远也不会了解这些秘密。

　　商业也是一样。成功的企业建立于开放却未知的秘密之上，这秘密关乎世界如何运作。想想硅谷的那些新创公司，正是利用我们周围常被忽略的闲置生产能力。空中食宿（Airbnb，一家网络房屋租赁公司）成立之前，游客别无选择，只能高价住旅店，而业主也不能轻易且放心地出租自己空闲的房间。空中食宿看到了这项未被开发的服务和未被解决的需求，而其他人则没有看到。租车服务公司Lyft 和 Uber也是如此。几乎无人能够想象仅靠联系出行的人和愿意载人的司机能创立价值 10 亿美元的公司。况且，美国已有政府核准运营的州际出租车和私人豪华礼车。只有相信并探索秘密才能发现常规之外的，近在眼前却不为常人所见的商机。包括Facebook在内的众多网络公司（它们的商业想法都极为简单）常常被低估也是同样的原因，即对是否存在秘密存有争议。回头想想：如果看起来如此简单的想法都能支撑起重要而有价值的企业，那么一定还有许多好公司等待我们去创办。

如何发现秘密

秘密分为两种：关于自然的和关于人的。自然界的秘密无处不在，想要发现，你必须探索物质世界的未知部分。关于人的秘密是不同的：是人类对自身认知的空白或者是人们以防他人知道而隐藏的事情。思考要创建哪种公司时，需要问自己两个不同的问题：自然没有告诉你的秘密是什么？人类没有告诉你的秘密是什么？

人们很容易认为自然的秘密是最重要的：探索自然秘密的人说起话来有一种令人生畏的权威感。这也就解释了为什么物理学博士难以共事——因为他们知道最基本的原理，就以为自己知道所有的真相。但是理解电磁理论就自然能成为很好的婚姻顾问吗？重力理论家比你更了解你的生意吗？在PayPal，我面试过一个应聘工程师的物理学博士。我第一个问题刚问到一半，他就大叫："停！我知道你要问什么了！"但他错了。我未加思索，直接刷掉了他。相对而言，人们对人的秘密重视不够。也许是因为人们不需要接受12年的教育就能问出揭露这些秘密的问题：人与人之间禁止谈论什么？哪些是被禁止的事或禁忌？

第8章

秘密

有时，探索自然秘密和探寻人类秘密得到的是一样的真相。请再思考一下垄断的秘密：竞争和资本主义是对立的。如果事先不知道，你可以很自然地从经验中发现：如果对公司利润进行量化研究，你就能发现利润被竞争吞噬掉了。然而，你也可以用比较人性化的方法来提问：开公司的人忌讳说什么？你会注意到垄断者以贬低他们的垄断地位来避免审查，而竞争厂商则巧妙地夸大独特性。两种公司的区别表面上是细微的，事实上是巨大的。

探索秘密的最佳处所就是无人关注的地方。大多数人只以学校教授给他们的方式思考，而学校本身的目标在于传授常规知识。所以你可能会问：还有哪些重要领域没被标准化和制度化？例如，物理学是所有重点高校的一个基本学科。与物理学对应的可能是天文学，但天文学可能不重要。那么营养学类的学科呢？营养学对每个人都很重要，但在哈佛大学却不能主修营养学，多数顶尖科学家转向了其他领域。营养学的大多数重要研究于三四十年前就已经完成，但其中很大一部分仍存在严重缺陷。食物金字塔告诉我们要吃低脂食物、吃大量谷物，但这可能是食物王国游说的产物而非真正的科学，其主要影响是加快了肥胖症的流行。需要学习的地方还有很多：我们对遥远星球的了解都比

141

对人类营养了解得多。研究营养学并非易事，但显然并非做不到——这恰恰是能够挖出秘密的领域。

秘密的作用

发现秘密时，你将面临选择：告诉别人？还是保守秘密？

这取决于秘密本身：有些秘密比其他的危险。正如浮士德对瓦格纳所说：

> 掌握秘密的极少数人，
>
> 愚蠢地将心扉全然洞开，
>
> 将自己的满腔热情示人，
>
> 总是惨遭迫害与火刑。

除非你的理念完全符合习俗，否则将你所知道的一切告诉每个人绝不是什么好主意。

那么要告诉谁呢？不管你必须要对谁说，都不要多讲。实际上，选择谁也不告诉和选择人人都告诉之间有一个黄金平衡——那就是公司存在的秘密。最好的企业家深谙此理：所有成功的企业都是基于鲜为人知的秘密创立的。好企业是改变世界的密谋者，当你与人分享秘密时，听众就成为了你的谋士。

就像托尔金在《魔戒》中所写：

> 不断向前延伸的道路，
>
> 是从家门开始的。

人生是漫长的旅程；由前人踏出来的路，一眼望去，没有尽头。不过这个故事后面还有另一首诗：

> 转角处等待我们的
>
> 是新路或神秘的门，
>
> 即使我们今天路过，
>
> 明天可能还会回转。
>
> 请选择这隐秘的路
>
> 通向月亮或者太阳。

道路不必无限延伸，一直走下去。选择那条隐秘的路吧。

ZERO TO ONE

NOTES ON STARTUPS,
OR HOW TO BUILD THE FUTURE

———————

第 9 章

基础决定命运

每个伟大企业都是独一无二的，而要做好每个事业，有些事情在起步阶段就必须做好。我经常强调这一点，以至于朋友们戏称它为"蒂尔定律"：基础没有打好的初创企业是无法挽救的。

开头很特殊，它在本质上有别于之后的阶段。138 亿年前宇宙的形成正是如此：诞生的最初那几微秒里，宇宙增大到原来的 10^{30} 倍。在天体演化的新纪元到来的那一瞬间，物理法则与今天我们知道的大相径庭。

200 多年前，美国的建立也是一样：几个月里，制宪者们在制宪会议上一起公开讨论国家的根本问题。中央政府应拥有多大的权力？国会议员代表席位应如何分配？无论你对那个夏天在费城达成的协议有何种看法，此后想要改变它都是困难的，因为

1791 年批准《人权法案》后，美国《宪法》只修改过 17 次。现在，尽管加利福尼亚州的人口超过阿拉斯加州 50 倍，两州在参议院的议员席位却是相同的。或许这就是特性，而不是缺陷。但是只要美国存在，就得坚持这一制度。再召开一次制宪会议是不可能的，因此今天我们只能讨论细节问题。

在这方面，公司就像国家。早先的错误决定一旦做出（比如选错合伙人、挑错员工），之后就很难改正。而要纠正这些错误，公司可能面临几近破产的危险。作为创始人，你的首要工作就是打好基础，因为你无法在有缺陷的基础上创建一个伟大的企业。

初创时的"联姻"

在一开始创业的时候，首先要做的至关重要的决定是——和谁一起做。选择合伙人就像结婚，而创始人之间闹矛盾就像离婚一样令人不快。每段关系开始的时候都很乐观，而冷静地思考以后可能会出现的问题就不那么令人愉悦了，因而人们都不去想。但如果创始人之间有不可调解的矛盾，公司将深受其害。

第9章

基础决定命运

1999 年，卢克·诺塞克成为我在 PayPal 公司的一个合伙人，现在我和他仍然在创始人基金共事。但在 PayPal 创立的前一年，我投资了卢克和别人合伙开办的公司。那是他的第一个初创公司，也是我首批投资的一个公司。那时我们都没有意识到，从一开始这个企业就注定会失败，因为卢克和他的合伙人是糟糕的搭档。卢克才华出众、想法奇特，而他的合伙人则是典型的工商管理硕士毕业生，不想错失 20 世纪 90 年代的淘金热。他们在一次网络活动中相遇，相谈甚欢，决定一起创业。那就像和在拉斯韦加斯赌场的老虎机前遇见的第一个人结婚一样糟糕：也许有机会一拍即合，但更可能会不欢而散。他们的公司倒闭了，我的钱也打了水漂。

现在我考虑投资一家初创公司时，会考察其创立团队。技术能力和才华互补固然重要，但创始人之间的了解程度和他们合作的默契程度也同样重要。创始人在共同创业前应有深厚的交情，否则就是在碰运气。

所有权、经营权和控制权

不仅仅创始人要好好相处，公司的每个人都需要和谐共处。硅谷的自由派人士可能会说你可以通过独资的方式解决这个问题。虽然弗洛伊德、荣格和其他心理学家都有一套理论解释每个人的理智与自我是如何相离相悖的，但至少在商业上，为自己工作能保证团结。不幸的是，它还限制了你创立公司的种类。因为如果没有团队，从 0 到 1 是非常困难的。

硅谷无政府主义者可能会说只要选对人，你就能做到团结一致，没有任何管理架构也能平稳发展。员工的奇思怪想和在办公场所各行其是的混乱状态被认为有助于"打破"由其他人制定并遵守的旧规则。的确，"如果人类是天使，就不需要政府了"。但是无政府主义的公司忽略了詹姆斯·麦迪逊所指出的：人类不是天使。因此管理公司的高管与控制公司的董事要各司其职，这也正是要对创始人和投资人在公司的权力上进行正式界定的原因。你需要能与你和睦相处的同事，但也需要规章制度来帮助所有人长期保持团结。

要找到公司内部不团结的原因，分清以下三个概念很有用：

基础决定命运

- 所有权：谁在法律上拥有公司的资产？

- 经营权：谁实际上在管理着公司的日常事务？

- 控制权：谁在形式上管理公司事务？

典型的初创公司将所有权分配给创始人、员工和投资者。经营公司的管理人员和员工享有经营权。董事会，通常由创始人和投资者组成，行使控制权。

理论上，这种分工能够使公司运营顺利。所有权分配的优点在于可以吸引和回馈投资者和员工。有效的经营权可以激励创始人和员工并赋予他们权力——这意味着他们能完成工作。董事会的监督可以从更广泛的角度评价管理人员的计划。实际上，将不同的工作分配给不同的人是有效的，但是也增加了不团结的可能性。

要想了解不团结的极端情况，那就去美国车辆管理局（DMV）看看吧。假设你现在需要一张新的驾照，理论上，应该不难拿到，因为车辆管理局是个政府机构，而美国是个民主共和国。所有权力操之在"民"，人民选举政府代表为他们服务。如果你是公民，那么你就是车辆管理局的部分所有人，你选出的代表管理着它，因而你有权走进去，拿你需要的东西。

当然，事实并非如此。身为人民，我们虽然"拥有"车辆管理局的资源，但分到的所有权微不足道。管理车辆管理局的职员和小领导才享有他们微小权力真正的行使权。即使政府官员和立法机构对车辆管理局名义上拥有控制权，也不能改变什么。无论当选的官员采取什么行动，官僚机构都会因其惰性蹒跚跟跄。车辆管理局不对任何人负责，自然不必迎合所有人。你获取驾照的经历是轻松愉快，还是如梦魇般痛苦，完全取决于这些官僚。你可以尝试引用政治理论提醒他们你才是老板，但这不可能让你获得更好的服务。

大企业比车辆管理局做得好，但是仍然很容易出错，特别是在所有权和经营权之间会有抵触。像通用电气这种大公司的首席执行官，虽拥有公司的一些股份，但只是极小的份额。因此相比所有权，经营权方面的回报更能激励他自己。也就是不论公司的实际价值如何，只要发布良好的季度报告，就足以让他维持高薪并乘坐公司的包机。即使他得到名义为"股东利益"的股票报酬，利益不一致的情况仍可能存在。如果以股票作为短期业绩的奖励，他就会降低成本，而不会投资一个能在遥远未来为所有股东创造更大价值的计划，因为他认为前者更有利可图，操作起来也容易得多。

基础决定命运

不像企业巨头，早期的初创公司很小，因而创始人兼具所有权和经营权。初创公司的矛盾大多出现在所有权和控制权之间，即董事会的创始人和投资者之间。由于利益不同，潜在的冲突随着时间的推移会不断增加：董事会成员可能希望公司尽快上市，为公司赢利，而创始人则宁愿维持私有，拓展业务。

董事会，人越少越好。董事会越小，董事们越容易沟通，达成一致，并进行有效监督。然而，这种有效意味着在任何冲突中，小型董事会都可以赶管理层下台。这就是慎重选择董事至关重要的原因：董事会里的每个成员都是举足轻重的。一个问题董事就能使你痛苦不堪，甚至可能危及公司的未来发展。

三人董事会最为理想。除非你的公司已经上市，否则，董事会不要超过5个人。（政府规章明确规定上市公司董事会的规模要大些——平均为9个董事。）到目前为止，最糟糕的做法莫过于过分扩大董事会。看到非营利机构有几十个董事，外行人会认为：这么多的成功人士投身于这个组织，它一定会运营得很好。事实上，大董事会根本不能进行有效监督，它仅仅为实际经营组织的独断专行的领导提供掩护。如果你希望摆脱董事会的控制，那就尽可能扩大其规模。如果你希望它高效运作，那就缩小其规模。

要么上车，要么下车

一般而言，你雇用的员工应该是全职的。而有时你不得不打破这一常规，比如，有时雇用外部律师和会计师是很合理的做法。然而，没有认股权或不是企业正式员工的人会从根本上与你产生分歧。对于利润，他们会倾向于短期收益，而不会帮助你在未来创造更多价值。这就是为什么外雇咨询师和兼职人员不可行的原因。即使是远程工作也应避免，因为每天不在相同的时间、相同的地点上班，同事之间就会产生分歧。当你决定是否要让某人加入董事会时，你只有两种选择。美国 20 世纪的小说家肯·凯西说得对：要么上车，要么下车。

现金奖励不是王道

对全职人员，应该给予适当报酬。每当有企业家让我给他的公司投资时，我都会问他打算付给自己多少薪酬。公司做得越好，首席执行官的薪酬就越少——投资过数百家的初创公司，我发现这一点最为明确。任何情况下，有风险资本注入的初创企业的首席执行官，年薪都不应超过15万美元。他以前是否在谷歌赚更多钱，或者他是否有大额抵押贷款要偿还和高额私立学校学费要付，都不是重点。如果一个首席执行官的年薪为30万美元，那他就变成了政客而不是创始人。高薪会诱使他保持现状，维持目前的收入，而不是与其他人一起发现问题，积极解决问题。相比之下，低薪的首席执行官则致力于为公司创造更多价值。

首席执行官的低薪也为别人设定了标准。Box公司的首席执行官阿龙·利维曾特意给自己全公司最低的工资——他创办Box公司4年后，依然居住在距离公司总部两个街区的一居室公寓内，那里除了床垫外，没有其他家具。员工看到他把全部身心都扑在公司的发展上，都纷纷仿效。首席执行官不一定要以领取低薪来树立榜样，对薪酬设下最高上限也有相同的效果。只要薪酬数额适度，就等于对现金报酬设了有效上限。

现金报酬的魅力十足，它提供了纯粹的可选择性，也就是说，一旦你拿到手，想怎么花都可以。但是高额的现金报酬会让员工取走公司已有的价值，而不是投入时间为未来创造新的价值。现金红利比现金薪酬要好——它至少取决于工作完成的好坏。但即使是所谓的激励报酬，也鼓励了短期想法和价值掠夺。任何用现金支付的薪资都关乎现在，而非着眼未来。

股票报酬才能让员工全力以赴

初创公司不需要支付高薪，因为它们能提供更好的待遇：公司的部分所有权。股票是报酬的一种形式，它能有效引导人们在未来创造价值。

然而，对于鼓励员工奉献而非制造冲突的股票，你务必小心分配。给每个人相同的份额是错误的：每个个体都有与众不同的才能与职责，还有完全不同的机会成本，因此从一开始等额分配就是武断的、不公平的。另一方面，一开始就给得不一样也是有失公允的。这一阶段的怨恨能毁掉一个公司，但是没有一种所有权分配方式能够完全避免怨恨。

随着越来越多的人加入公司，这个问题也变得越来越尖锐。早期的员工得到的股票较多，因为他们冒的风险大，但是后来的员工可能对公司的成败起着更关键的作用。1996 年加入 eBay 的秘书领到的股票可能比 1999 年加入的行业资深高管多 200 倍。2005 年为 Facebook 办公室墙壁涂鸦的画家得到的股票后来价值 2 亿美元，而 2010 年加入的天才工程师可能只有 200 万美元。由于分配所有权时很难达到绝对的公平，创始人需做好细节保密工作。给全公司发电邮，并且列出每个人的所有权份额，就像是在办公室里投了一枚核弹。

大多数人一点也不想要股票。在 PayPal，我们曾经雇用了一个咨询师，他答应帮助我们开发业务，争取利润丰厚的交易。结果他唯一谈成的是自己 5 000 美元的日薪，而拒绝将认股权作为报酬。尽管也有新餐厅的厨师成为百万富翁的故事，但股票对人们的吸引力并不大，因为它不像现金那样具有很大的流动性，可以快速交易，而是与某一特定公司联系在一起。如果那家公司失败，股票就一文不值了。

恰恰是因为这些限制，股票才成为有力的工具。如果有人愿意拥有你公司的部分所有权，而不是现金工资，表明他愿意长期致力于增加公司的价值。股票虽然不是激励员工的最佳方法，却是创始人使公司保持团结一致的最好方法。

让创业延续

摇滚歌手鲍勃·迪伦曾说过，一个人不是忙着出生，就是忙着去死。如果他是对的，那么出生并不是一刹那的事，你可能要设法持续做些什么，至少这是一种有诗意的说法。而公司的建立确实只有一次，只有在刚建立时，才有机会制定规则，使大家团结一致，共同创造价值。

最有价值的公司始终鼓励发明创造，而这是开创阶段的典型特征。这使我想起另一种对于创业不太明显的第二层定义：只要公司创新，创业就还没结束，一旦创新停止，创业就结束了。如果创业时机正确，你能做的远不止创立一个有价值的公司：你可以把握其未来的发展方向，使其向着创新的道路发展，而不是囿于已有的成功。你甚至可以使创业无限延续下去。

ZERO TO ONE

NOTES ON STARTUPS,
OR HOW TO BUILD THE FUTURE

——————

第 10 章

打造帮派文化

我们先来动动脑：理想的公司文化应该是什么样的？员工非常热爱工作，享受工作，不严守工作时间，无人着急下班。工作空间开放，环境舒适：豆袋椅、乒乓球多于文件柜。免费按摩、现场制作寿司，还有瑜伽课程使场面温馨。宠物也应该受到欢迎，或许员工的宠物猫狗也可以带来，和办公室的热带鱼一起作为公司的非官方吉祥物。

这样的画面有什么问题吗？其中一些是硅谷有名的夸张福利，却没有实质内涵，并不起作用。同样，雇用室内装潢师美化办公室、聘请人力资源顾问完善公司政策，抑或招聘品牌专家打磨广告语也无济于事。"公司文化"不能脱离公司本身而存在：无公司无文化，公司即文化。初创公司是肩负同一使命的一个团体，企业文化的好坏取决于内涵。

"PayPal黑帮"

我创建的第一个团队在硅谷以"PayPal黑帮"而著称,许多前同事一直以来互相帮助,开办、投资成功的技术公司。2002年,我们以15亿美元将PayPal卖给了eBay公司。这之后,埃隆·马斯克创立了太空探索技术公司,并与别人合办了特斯拉汽车公司;里德·霍夫曼与别人共同创立了领英公司;陈士骏、查德·赫尔利和贾维德·卡里姆共创办了YouTube视频网站;杰里米·斯托普尔曼和拉塞尔·西蒙斯成立了Yelp点评网站;戴维·萨克斯与其他投资人共创了Yammer企业社交网络服务公司;而我与别人合作创办了帕兰提尔公司。如今这7家公司市值均超过10亿美元。在PayPal,我们并未刻意营造办公环境,但整个团队和个人都做得极其出色,这样的文化足以超越原来的公司。

我们并非通过筛选简历然后雇用最优秀的人才来建立"PayPal黑帮"。我在纽约的一家律师事务所工作时,亲眼看到了这种方法带来的混乱结果。与我合作的几个律师经营着一家不错的事务所,他们个个都很出色,但是他们之间的关系却异常淡薄。他们整天待在一起，但在办公室外却很少交流。为什么和一群互不喜欢的人一起工作呢？许多人会觉得为了赚钱，这是必要牺牲。但是，纯以专业的观点来看，就像自由球员因为交易而进出球队一样，这样的工作场合比彼此冷淡还糟糕，这甚至不够理智。时间是最宝贵的资产，将时间浪费在不能长久合作的人身上得不偿失。如果你不能在工作上建立持久的关系，那么你就浪费了时间——即使纯粹从财务的角度来看，也是如此。

从一开始，我就想让PayPal员工紧密团结，而不是出于事务关系待在一起。我认为较为牢固的关系不仅能使我们更加开心、更加高效地工作，而且能使我们的职业生涯更成功，即使不在PayPal，亦是如此。因此我们打算雇用真正喜欢团队合作的人。他们必须有才华，但更为重要的是，他们要由衷地喜欢与我们共事。这就是"PayPal黑帮"的开端。

提供不可替代的工作机会

招聘是每家公司的核心竞争力，不应该外包出去。你需要的员工应该不只是简历上看起来厉害的人，还要在入职后能与他人团结协作。最初来应聘的四五个人可能是被大额股份或高层职位吸引。除了这些显而易见的福利，更为重要的是你自己对这个问题的回答：为什么第20个员工要加入你的公司？

有才华的人不需要为你工作，因为他们有众多选择。你应该自问得再直截了当一些：为什么放弃去谷歌获取高薪和威望的机会，而去你的公司做第20位工程师呢？

以下是一些不好的回答："因为你在这里拿到的公司认股权比其他地方的更值钱。""因为你在这里能和世界上最聪明的人一起工作。""因为你能帮助解决世界上最具挑战性的问题。"高价股票、聪明同事、具挑战性的问题有什么不对吗？没有，但每个公司都是这种相同的论调，因此这并不能使你独树一帜。千篇一律的话不能说明为什么应聘者要加入你的公司，而放弃其他的选择。

唯一的好答案必须针对你的公司量身定制，因此在本书里你找不到答案。但有两类好答案：一类是关于公司使命的，一类是关于团队的。如果你能解释为什么公司使命激动人心，那么你就能吸引你需要的员工。不是解释工作的重要性，而是解释为什么你在做别人从未想过要做的重要事情。这是唯一能让你的理由变得独特的方法。在 PayPal，如果你为创造虚拟货币来代替美元的想法而兴奋，那么我们愿意和你交谈，否则，你不适合这里。

然而，仅有重大使命是不够的。将来有可能成为员工的应聘者仍会质疑："我愿意和这些人共事吗？"因此，你还需要解释为什么你的公司适合他。如果你不能，可能他不是合适的人选。

总之，不要打福利待遇之战。奔着免费洗衣或宠物看护而来的人是不会成为你团队中一名合格成员的。你只需提供健康保险之类的基本福利，并许之其他公司无法提供的，即同优秀同事一道完成不可替代工作的机会。在薪酬福利上你可能比不上 2014年的谷歌，但如果能就公司使命和团队给出好的回答，你便与 1999 年的谷歌站在同一高度。

每个员工都与众不同

从外面来看，你公司的每名员工都应该有同样与众不同的气质。

不像美国东海岸的人们工作时都穿着相同的紧身牛仔裤或细

条纹套装，芒廷维尤和帕洛阿尔托的年轻人工作时穿的是T恤。技术人员不在意穿着的看法已不是新闻，但是如果细看那些T恤，你会发现他们公司的标志——这是技术人员极其看重的。让初创公司员工与外人不同的就是T恤和卫衣上印着的公司标志。初创公司的工装涵盖了一个简单而重要的原则：你公司的每个员工都应该一样的与众不同——一致的标志说明了志趣相投的一群人积极投身于公司使命中。

马克斯·列夫琴是我在PayPal的合伙人，他认为初创公司早期要让员工尽可能个性相像。初创公司资源有限、团队较小。为了生存，它们必须快速高效地运转，如果大家世界观相同，则更容易做到这一点。初期的PayPal员工相处融洽，因为我们是同一类人。我们都喜欢科幻小说：《编码宝典》（*Cryptonomicon*）是必读之物，相比颂扬共产主义的《星际迷航》，我们更喜欢颂扬资本主义的《星球大战》。最为重要的是，我们都痴迷于创造由个人而非政府控制的数字货币。要保持公司的正常运转，员工的外貌和国籍并不重要，但他们必须同我们一样痴迷于数字货币。

每名员工只专注于一件事情

从内部来看，每个人分工明确，并因担负独特的工作而与众不同。

在初创公司分配任务时，你可以把它作为一个优化问题来对待，使人才与工作有效匹配。但即使你在某种程度上能够安排妥当，任何既定方案也会迅速失效。部分原因是初创公司发展迅速，因此个人角色不能长久不变。另外也因为工作分配不只关乎员工与工作之间的关系，同样也关乎员工之间的关系。

管理PayPal时，我做得最棒的事是让每个人只负责做一件事。每个人的工作都是独特的，且他们知道我只以此作为评判标准。我这样做的本意是简化管理，但是随后我注意到一个更深层的成果：界定角色可减少矛盾。公司里绝大多数矛盾是由同事竞争同一岗位引起的。由于初创公司初期的工作角色流动性大，所以面临很大的风险。消除竞争更易于建立长久的纯粹的工作关系以外的交情。除此之外，内部和谐是初创公司存活的关键。我们常常将初创公司的失败归咎于竞争体系中的强劲对手。但每个公司本身就是一个生态系统，派别冲突会使其无力应付外部威胁。

内部冲突就像是自体免疫系统疾病，致死的原因可能是肺炎，而真正的死因却隐藏在内部，无法一眼看出来。

关于邪教和顾问

在关系最紧密的组织中，成员们长时间待在一起，他们忽视了家人、抛弃了周围世界。但是，他们拥有强烈的归属感，还可能悟得常人求之不得的神秘"真理"。这类组织我们称之为邪教。在外人看来，这种全身心的投入有些疯狂，部分原因是某些臭名昭著的邪教曾是杀人不眨眼的：吉姆·琼斯和查尔斯·曼森就没有好下场。

但是企业家应该严肃看待极度的投入。对工作的冷淡态度是员工心理健康出状况的标志吗？职业化的态度是唯一正常的态度吗？和邪教相对的另一极端是埃森哲之类的咨询公司：不仅缺少特定使命，而且公司内的每个顾问只是定期出入公司，与公司缺少长久的联系。

每个公司的文化都可以绘为线性图谱，见图 10–1。

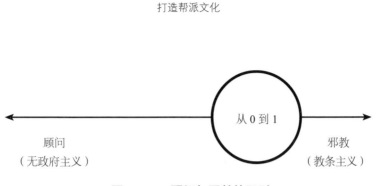

图 10-1 顾问与邪教的区别

最好的初创公司可能没有邪教那么极端。最大的区别是：邪教在重要问题上通常错得离谱，而成功的初创公司则对其他公司不理解的事有非常正确的看法。从顾问那里你是无法知道其中奥秘的，你也不必担心公司得不到传统专业人士的认可，被外人称为邪教，甚至是黑帮也不是件坏事。

ZERO TO ONE

NOTES ON STARTUPS,
OR HOW TO BUILD THE FUTURE

––––––––––

第 11 章

顾客不会自动上门

尽管销售无处不在，多数人还是低估了其重要性，其中，硅谷给他们的评价更差。极客经典作品《银河系漫游指南》甚至将地球的创立归因于要对抗销售人员。因为地球即将被毁灭，人们被迫乘坐 3 艘巨舰撤离家园。思想家、领导人、成功人士坐上了 A 船，销售员和咨询师坐上了 B 船，工人和工匠坐上了 C 船。B 船最先驶离，其乘客欢呼雀跃，却丝毫没有意识到自己是空欢喜一场，他们已经陷入圈套：A、C 两船的人已经认为 B 船里的人没了用处，他们密谋弃之而去。最后，B 船降落在地球。

销售在虚构世界里不足为道，而在现实世界中却极为重要。我们低估了推广（一个泛指各种产品销售的术语）的重要性，因为我们和 A 船、C 船的人存在着同样的偏见：销售人员和其他"中间人"很碍事，优良产品应该在生产出来后直接被神奇地分销出去。电影《梦想之地》的构想在硅谷备受欢迎，工程师喜欢制造很酷的东西，而不是销售这些东西。但是顾客不会因为你生产了就来买。你必须设法让顾客来买，而要做到这一点，并不像看起来那么简单。

技术精英对阵销售人员

美国广告业的年收入为 1 500 亿美元，从业人数超过 60 万。而销售业的数字更为庞大，年收入为 4 500 亿美元。听说有 320 万美国人从事销售业，资深高管会认为该数字太小了，而工程师会深感困惑，发出叹息：如此多的销售人员在做什么呢？

在硅谷，技术精英质疑广告、营销和销售行业，因为这些似乎是肤浅荒谬的。但广告之所以重要是因为它确实有效，对技术精英管用，对你也管用。你或许会说你是个例外，没人能操控你的喜好，所以广告只对其他人管用。拒绝明显的推销术并不难，所以我们轻信自己能独立思考。但是广告不会立刻让你购买产品，而是为以后的购买埋下伏笔。没有意识到广告影响力的人会受到双重欺骗。

技术精英习惯透明直白的方式。他们通过精通如计算机编程这样的专业技能来增值。在工程学界，解决方案不是奏效就是失效，所以要评估别人的工作相对容易，表象无关紧要。而销售则恰恰相反：他们精心设计活动来改变表象，但不修改实质内容。因此工程师觉得这种做法只是雕虫小技，甚至是极不诚实的。他们了解自己工作的辛苦，因而每当看见销售人员拿着电话与客户谈笑风生，或吃两个小时的午餐，就会认为这些销售员不务正业。事实正好相反，人们高估了科技与工程工作的难度，实在是因为这些领域的挑战显而易见。而销售人员在背后要付出很多才能使销售工作看起来容易进行，而这些往往被技术精英忽视。

销售是隐形的

销售人员都是演员：他们的第一要务是说服，而不是真诚。这就是为什么"销售人员"这个词带有贬义，为什么二手汽车商是不公正交易的代表的原因。但我们只嫌弃手法拙劣、别有用心

175

的推销人员，即能力差的一类。销售能力所涵盖的范围很广：在新手、专家和大师中间还有许多级别，甚至还有超级大师。如果你对超级大师一无所知，不是因为你没有遇见他们，而是因为他们技术高超，不易察觉。《汤姆·索亚历险记》中的主角汤姆·索亚说服邻居小伙伴替他粉刷围栏——是大师级的举动。而让朋友们争相花钱帮他粉刷围栏是超级大师级的举动，他的朋友们都没他聪明。自从马克·吐温1876年写完这本书后，这种说服人们心甘情愿地花钱的销售手法也没有多大的变化。

和演戏一样，不露声色的销售最为有效。这解释了为什么从事推广工作的人——不管是销售、营销还是广告——其头衔与工作内容毫不相关。推销广告的人被称为"业务经理"，推销客户的人被称为"业务开发"，推销公司的人被称为"投资银行家"，推销自己的人被称为"政客"。这些称谓的改换大有道理：没有人愿意被提醒自己正在被推销。

各行各业均用推销能力来区分胜利之星和落败之人。在华尔街，新手从强调专业技术的"分析师"做起，但是他的目标是成为交易员。律师以专业资格为傲，但是律师事务所是由能招揽到大客户的高手经营的。即使是靠学术成就享有威望的大学教授，也会羡慕能呼风唤雨的自我推销者。关于历史和英语的学术观点不会因为知识水准高而大受欢迎。甚至基础物理学的研究日程和癌症研究的未来趋势也是游说的结果。即使是企业人士也低估了推销的重要性，根本原因在于，各个领域各个层面合力掩盖了这一点，让我们察觉不到世界正是由推销驱动的。

工程师的梦想是生产足够优良、"可以自销"的产品。但是这样描述实际产品的人是在撒谎：他不是异想天开（自欺欺人），就是正在设法推销某种东西（而这会造成自相矛盾）。与此截然不同的商业旧谈提醒我们，"最好的产品未必会常常获胜"。经济学家将此归因于"路径依赖"：不管质量如何，特定历史环境决定了哪种产品广受欢迎。这不假，但这并不是说我们当今使用的操作系统和我们打字的键盘布局仅仅是随机胜出。将推销作为产品设计中必不可少的因素更为妥当。你发明了新产品却没有有效的方式推销，那么你的生意将很难做下去——无论你的产品质量有多好。

如何销售产品

即使产品没有差异，高超的销售和推销自身也可以形成垄断，反之则不行。不管产品如何优良——即使它们可以轻松融入人们已有的习惯中，使试用过的人一见倾心，也必须要有完善的推广计划作为后盾。

有效推广的界限可以从两个指标判定。在与客户保持联系期间，从每个客户那里赚取的平均总净利（客户生命期价值，CLV）必须超过赢得新客户的平均成本（客户获取成本，CAC）。总之，产品售价越高，销售成本越高——销售成本也越有意义。不同推广方法的比较如图 11-1 所示。

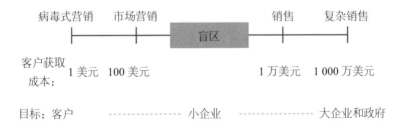

图 11-1　不同销售方法的客户获取成本

复杂销售

如果你的平均销售额在七位数或七位数以上，那么每笔交易的每个细节均需要密切关注。你可能需要数月才能与客户建立恰当的关系，用一两年才能达成一笔交易。随后你要在安装阶段跟进，并在交易达成后对产品提供长期的售后服务。这很难做到，但是这种"复杂销售"是销售高价产品的不二之法。

太空探索技术公司证明了复杂销售的可行性。在开办火箭初创公司的几年内，埃隆·马斯克说服美国航空航天局签订了10亿美元的合同，用太空探索技术公司新设计的飞船取代了退役的航天飞机。大额交易中政治实力和技术创新同等重要，因此这实属不易。太空探索技术公司雇用了3 000多员工，绝大多数在加利福尼亚州。传统的美国航天航空业人员超过50万人，遍及美国50个州。毫不意外，国会议员不想让联邦基金流入其家乡以外的地方，但是，因为复杂销售只需每年成交几笔，所以埃隆·马斯克这样的超级销售大师可以将时间花在最关键的人物身上——甚至去克服政治惰性。

没有"专职销售员"的复杂销售效果最佳。我和法学院同学亚历克斯·卡普合办的数据分析公司帕兰提尔，并没有专门聘请销售人员。相反，作为首席执行官的亚历克斯一个月有 25 天在约见客户或潜在客户的路上。我们的交易额从 100 万到 1 亿美元不等。这么大的订单，客户通常不想和销售副总谈，而是要直接和首席执行官谈判。

采用复杂销售模式的公司如果 10 年内年增长率达到 50%或 100%，那么就能成功。这对于创业家梦想中的病毒式增长来说似乎有些缓慢。你可能期盼顾客一获悉产品优良，你的营收就可以增长 10 倍，但这种事情几乎从未有过。好的企业销售策略是从小做起，这是必然的：新客户可能愿意成为你的最大客户，但是他们很少愿意与你签订远远超出你以往订单金额的大订单。一旦你积累了一群使用你产品的参考客户群，你就可以开始进行长期有序的工作，争取更大的订单。

人员销售

大多销售不是典型的复杂销售：平均交易额为 1 万到 10 万美元，而且首席执行官不必亲力亲为地包揽所有的销售。这种销售的挑战不在于特定生意的做法，而在于如何建立起流程，让精悍的销售团队尽可能地向广大客户推销产品。

2008年，Box公司开发出了安全便捷地存储数据的云服务。但是人们不知道他们需要这样的产品——因为云计算尚未盛行。那年夏天，布莱克受雇，成为Box的第三位销售人员，协助改善这一状况。从有严重文件共享问题的小部分客户开始，Box的销售代表与每个客户公司越来越多的用户建立了联系。2009年，布莱克将一个小的Box账户卖给了斯坦福睡眠诊所，因为那里的研究员需要更方便、更安全地存储实验数据的记录。如今斯坦福大学为每个在校生和教职工提供了斯坦福Box账户，而且，斯坦福医院也使用Box系统。如果Box一开始就基于整个学校的企业解决方案，直接去找校长洽谈，那么它将一无所获。复杂销售会让Box成为初创公司失败的案例，被人遗忘；而人员销售让它成为市值数十亿美元的胜者。

有时产品本身就是一种推销。ZocDoc是创始人基金投资的一家公司，帮助人们在线查找并预约医生。公司每月收取医生几百美元以加入公司网络。由于平均交易额为数千美元，ZocDoc需要大量销售人员，为此公司成立了一个内部招募团队，专门负责此项工作。针对医生进行的销售不仅带来收入，同时医生数量的增加也使产品对顾客来说更有价值（而且顾客越多，吸引的医生也越多）。每月已有 500 多万人使用该项服务，如果再继续扩大规模，让大多数执业医师参与其中，那么它将成为美国医保行业的基础性公用事业。

销售的盲区

在人员销售（要求有销售员）和传统广告（不要求有销售员）之间有盲区。假如你开发了一个帮助便利店老板追踪存货、管理订购的软件，可是这样一个价值 1 000 美元左右的产品，并没有完善的销售渠道和有购买意向的小企业对接。即使你有清晰的价值定位，又怎么才能让人们了解呢？广告要么范围太广（没有专门针对便利店老板的特定电视频道），要么效率太低（在《便利店新闻》上登广告不足以说服便利店老板每年花费 1 000 美元）。该产品需要人员销售，但是从产品定价来看，你恐怕没有钱派销售员与每个潜在客户洽谈。这就是为什么如此多的中小企业并不使用大企业习以为常的方式的原因。并不是说小企业老板异常落伍，或者没有好的途径，而是因为销售有个隐形的瓶颈。

市场营销和广告

市场营销和广告对有广泛吸引力却缺少病毒式推广方法的低价产品极为有效。宝洁公司（P&G）无力支付销售员上门推销洗衣液的费用（宝洁公司却雇用销售员与连锁杂货店和大型零售商沟通，因为与这些客户的一单生意意味着10万瓶一加仑洗衣液的售卖）。为接触终端用户，消费性产品公司不得不投放电视广告、在报纸上印优惠券、精心设计包装盒以博眼球。

广告对初创公司也奏效，但只有在客户获取成本和客户生命期价值在任何其他推广渠道都不经济的情况下才奏效。想想电商初创公司沃比派克（Warby Parker)，该公司在线设计并销售有度数的时尚眼镜，而并没有和眼镜零售商签约代销产品。每副眼镜100美元起售，因此假设每个客户一生中购买几副眼镜，那么公司的客户生命期价值只有几百美元，也就没有必要派销售人员去洽谈每笔交易，但另一方面，100美元的实体产品又不会像病毒一般流行开来。因此沃比派克公司通过策划广告活动和投放独特的电视广告，在数百万顾客面前展示物美价廉的选择。公司官网上直言，"电视是一个巨大的扩音器"，当你只能负担几十美元来赢取新客户时，你就需要尽力找到最大的扩音器。

所有企业家都羡慕影响深远的广告活动，但是初创公司应该抵制住和大公司进行广告竞争的诱惑，不要陷入无休止的竞赛中，看谁的广告最令人难忘，或谁的公关噱头最精彩，这是经验之谈。在PayPal，我们聘请了在《星际迷航》中饰演斯科蒂的詹姆斯·杜汉做我们的官方代言人。发布为掌上电脑（PalmPilot）设计的第一款软件时，我们召开了记者发布会，让大家来听詹姆斯说："我的职业生涯都是传送人，这是第一次传送钱。"这次活动真是一大败笔，出席发布会的少数记者对此都毫无反应。我们都是技术精英，因此认为作为总工程师的斯科蒂比剧中的船长柯克讲话更有权威。（就像是销售员，柯克总爱在一些奇怪地点现身卖弄，等待工程师帮助其脱离因其自身错误陷入的困境。）但我们错了：Priceline.com（全球最大的在线旅游服务商）安排威廉·夏特纳（扮演柯克的演员）出演了著名的电视系列广告，效果不错。不过那时Priceline已是业界翘楚。早期的初创公司无法与大公司的广告预算相匹敌，请不起柯克船长。

病毒式营销

如果产品的核心功能可以鼓励用户邀请其他朋友成为用户，那么这个产品才能进行病毒式营销。这是Facebook和PayPal快速增长的原因：每次只要有人与朋友分享或付款，他们自然而然会邀请更多的人加入。这不仅消耗低而且速度快。如果每个新用户再邀请一个以上的用户，你就能实现指数级增长的链式反应。理想的病毒式营销循环应该尽可能的快捷无阻。有趣的 YouTube 视频或网络热点很快就能有上百万的点击量，是因为其极短的循环周期：人们看见小猫，感受到温馨，几秒内就发送给朋友。

在PayPal，我们最初的用户基础是 24 个人，都是PayPal员工。通过打广告吸引顾客成本太高。但是，通过直接付钱给注册用户，再让利给用户使其邀请伙伴注册，我们快速成长起来。这项策略每个顾客的获取成本是 20 美元，但带来了每天 7%的涨幅，意味着每 10 天用户就能翻番。4~5 个月后，我们就有成千上万的用户。通过提供转账服务，收取小额手续费，我们利用切实可行的机会打造了一个一流的公司，收到的手续费最终大大超过客户获取成本。

谁最先占领有病毒式营销前景的细分市场，谁就能成为整个市场的定局者。在PayPal我们不是随意增加客户，而是要最先赢得最有价值的客户。邮件支付系统最明显的细分市场是数百万的移民，他们仍然使用西联银行给家里汇钱。我们的产品简单方便，但是这群用户的使用频率太低。我们需要资金流转更快的更小的利基市场——我们在eBay的"超级卖家"（PowerSellers）找到了，这些专业供应商通过eBay的拍卖市场在线销售货物，共有2万人。大多数卖家每天都会达成数笔交易，而且买进卖出的数量也相当，这意味着有持续不断的支付流。由于eBay自己解决支付问题的方案糟糕透顶，这些卖家就成为我们产品极度热情的早期使用者。一旦PayPal占领了这一细分市场，成为eBay的支付平台，PayPal就打遍天下无敌手了。

销售的幂次法则

不管做什么生意，上述方法中都有一个最为有效，那就是产品销售的幂次法则。这对大多数企业家来说是反直觉的，他们总以为销售策略越多越好，但是大杂烩式的方法——雇用几个销售员，在杂志上登广告，并且尝试增加一些产品的后续功能，使其能够呈病毒式增长——并不起作用。多数公司没有一条有效的销售渠道，导致它们失败的最主要的原因，不是产品差，而是糟糕的销售。如果你有一条有效的销售渠道，你就能成功。如果你尝试了多种销售渠道，却没有一个有效，那你就等着关门吧。

销售给客户以外的人

公司需要推销的不只是产品，你还必须向员工和投资者推销你的公司。好产品不需要推销这句谎话有个"人力资源"的版本："我们公司很好，人们争相加入。"还有一个筹资版本："我们公司非常好，投资者纷纷登门投钱。"一窝蜂和争先恐后的形容很生动，除非有精细的招聘计划和深层次的推销，不然这种情况不会发生。

把公司推销给媒体是推销给其他人的必要前提。出于本能，技术精英不相信媒体，常常犯忽视媒体的错误。但就像你不会期待仅仅靠产品的外在优点而没有使用任何推广策略人们就会购买优质产品，你也不会认为没有使用公关策略人们就会欣赏你的公司。即使因为你有病毒式营销策略，而不需要媒体曝光来赢得顾客，媒体也会帮助你吸引投资者和员工。任何值得雇用的潜在员工都会先了解公司，他上网找到了公司的哪些信息，对你公司的成功至关重要。

你就是销售员

技术精英希望可以忽视销售，把销售人员都放逐到其他星球。我们都认为自己才是做决定的人，销售对我们没有用处，但这不是真的。每个人都有产品需要销售——不论是员工、创始人还是投资者。即使你的公司仅仅由你和电脑组成，也是如此。环视四周，如果没有看到销售员，那么你就是。

ZERO TO ONE

NOTES ON STARTUPS,
OR HOW TO BUILD THE FUTURE

———————

第 12 章

人类和机器

随着成熟产业日渐萧条，信息技术因迅猛发展而成为科技的代名词。超过 15 亿人利用便携式装置及时获取信息。如今，人们的智能手机已比指引宇航员登月时的计算机的处理速度快上千倍。如果摩尔定律继续适用，今后的计算机会更加强大。

计算机在我们曾认为专属于人类的活动中也有足够能力打败人类。1997 年，IBM公司的深蓝打败了世界象棋冠军加里·卡斯帕罗夫。2011 年，智力竞赛节目《危险边缘》（*Jeopardy!*）的最佳选手肯·詹宁斯败给IBM的沃森电脑。谷歌自动驾驶汽车已行驶在加州大道上。虽然知名赛车手小戴尔·恩哈特并未感受到机器的威胁，可是英国《卫报》为全球数百万受雇于人的司机和出租车司机担心，自动驾驶汽车"会带来下一波失业浪潮"。

每个人都期待未来的计算机能干更多的事情，多到有些人怀疑：30 年后，人类自己还有什么可做的事情吗？风险资本家马克·安德森斩钉截铁地宣称："软件正在吞噬整个世界。"而其同行安迪·凯斯勒在解释提高生产力的最佳途径是"摆脱人类"时，却显得很高兴。《福布斯》则显得忧心忡忡，向读者提出了如下问题：机器会取代你吗？

未来主义者似乎期待肯定的回答。勒德分子[①]则害怕被机器取代，宁可全面停止开发新技术。双方都未质疑好的计算机必然取代人工这一前提。然而，这个前提是错误的：计算机是辅助人类的工具，而非替代物。未来几十年，最具价值的产业还是由创业家建立，他们发展计算机是增强人类的能力，而不是淘汰人类。

---

① 勒德分子是 19 世纪英国工业革命时期因为机器代替了人力而失业的技术工人。现在引申为持有反机械化以及反自动化观点的人。——编者注

全球化 vs. 科技

15 年前，美国人担心来自墨西哥的廉价劳动力的竞争，这讲得通，因为任何人都可能被其他人替代。今天人们再次听见罗斯·佩罗所说的"巨大吮吸声"，这次循声追溯到的不是提华纳的廉价工厂，而是得克萨斯州的服务器集群。美国人害怕将在不远的未来出现的技术，因为他们认为这是过去几年全球化的重演。但现在情形已大不相同：人们会为工作和资源角逐，而计算机不会。

全球化意味着替代

佩罗就国外竞争提出警告时，小布什和比尔·克林顿在鼓吹自由贸易：每个人在工作上都有其专长，所以从理论上讲，只要人们按照其自身优势发展其专长，并以此互相交易，经济就会使财富最大化。可是实际上，至少对许多工人来说自由贸易的成效并不是那么明显。相对优势差异巨大时，贸易利益最大，但是全球愿意从事低薪重复工作的人比比皆是。

人们不仅竞争工作岗位，也竞争相同的资源。美国人在低价购买从中国进口的玩具和纺织品的同时，需要以更高的价格购买汽油，因为数百万中国车主也开始参与到对汽油的竞争中。不管是在上海吃鱼翅，还是在圣地亚哥吃鱼肉玉米饼，人们都需要食物，都需要房屋。人们也不只满足于温饱——随着全球化的推进，人们的需求会不断增加。既然数亿中国农民最终达到了温饱水平，他们自然希望多吃点儿肉，少吃点儿粮食。上层社会的欲望更是惊人的一致：从圣彼得堡到平壤的寡头都喜爱水晶香槟。

科技意味着补充

现在想想来自计算机而非人类的竞争前景。供给方面，计算机和人类之间的区别远大于人与人之间的区别：人类和机器所擅长的工作存在着本质上的差异。人类有意识，擅长在复杂情境下制订计划、做出决策，但不擅长大量数据的处理。计算机则恰恰相反，擅长高效的数据处理，却做不出人类很轻松就能做出的基本判断。

为了了解差异的程度，让我们来看一下谷歌的另一个人机替代项目。2012 年，谷歌的一台超级计算机扫描了 1 000 万张

YouTube 视频缩略图后，能够识别出猫，其准确率达到 75%，上了报纸的头条新闻。这看似不可思议——但 4 岁小孩儿就可以轻而易举地做到。最便宜的笔记本电脑可以击败最聪明的数学家，但即使拥有 16 000 个中央处理器的超级计算机也不能和小孩儿在其他方面相抗衡，二者之间不只是一个比另一个强大的问题，而是具有本质上的差异。

人类和机器之间的显著差别意味着，和计算机合作得到的成果远高于与人交易得到的成果。正如我们不和家畜、灯具做交易一样，我们也不和计算机做交易。重点是：计算机是工具，不是竞争对手。

需求方面的差别更大。不像工业化国家的人，计算机不渴望奢华大餐，不追求法国卡普费拉的海景别墅；它们需要的只是微不足道的电量，它们甚至不够聪明来提出要求。我们开发新的计算机技术来解决问题，这意味着我们拥有了一个超级专业的伙伴为我们提供高效的服务，却不和我们争夺资源。准确地说，科技是在这个全球化的世界中逃避竞争的唯一方式。虽然计算机越来越强大，但它们不能取代人类：它们只起补充作用（见表 12-1）。

表 12-1　全球化与科技的不同

	（劳动力）供给	（资源）需求
全球化 （其他人）	替代： "世界是平的。"	消费者竞争 相同的资源
科技 （更强大的计算机）	绝大多数 起补充作用	机器不会提出需求： 所有价值流向人类

人机互补之于企业

　　人类与计算机的互补不仅仅是宏观事实，而且是创立伟大事业的途径。在 PayPal 的经历使我明白了这一点。2000 年年中，我们成功度过网络公司的破产危机，并快速增长，但仍面临一个巨大难题：每月都因信用卡诈骗损失上千万美元。每分钟处理成百上千笔交易，因此不可能一一检查——任何质量控制团队都达不到这种速度。

第12章

人类和机器

因此我们做了任何工程师团队都会做的事情：采用自动化技术找到解决方案。首先，马克斯·列夫琴组建了数学家精英团队来仔细研究欺诈性交易。然后利用研究结果，编写自动识别软件，实时取消欺诈交易。但这一措施很快就失效了，因为一两个小时后，窃贼就发现了，他们改变了策略。我们的对手适应性很强，而我们的软件反应缓慢。

诈骗犯虽然躲过了我们的自动检测算法，但我们发现，他们不能轻易骗过人类分析师。因此马克斯带领工程师用混合策略重写了软件：程序将可疑的交易标记在设计好的用户界面上，然后人工审核其合法性。多亏了这个混合系统，我们抓住了那个吹嘘自己无人能敌的俄罗斯窃贼，所以我们给这套系统起了个俄罗斯的名字——"Igor"。而且，有了这套系统，我们在2002第一季度扭亏为盈（而2001年的每季度我们还损失2 930万美元）。美国联邦调查局来问我们是否愿意出借Igor，以协助他们侦测金融犯罪。这让马克斯自诩为"网络密探福尔摩斯"，他也的确是。

这种人机结合的做法让PayPal得以在商界立足，成百上千的小商家才愿意通过网络收款来发展壮大。没有人机结合的解决方案，就不会有这些成果——虽然多数人对它一无所知。

2002 年出售PayPal后，我依然在人机结合上下功夫：人机结合比单打独斗效果显著，那么在此核心基础上可建立什么有价值的事业呢？第二年，我和斯坦福大学的老同学亚历克斯·卡普、软件工程师斯蒂芬·科恩动了创办公司的念头：利用PayPal安全认证系统的人机复合模式来辨识恐怖分子和金融诈骗。我们知道美国联邦调查局兴趣正浓，于是 2004 年我们共同创办了帕兰提尔公司，一个帮助人们从不同信息来源提取有用信息的软件公司，到 2014 年，帕兰提尔公司的销售额已达到 10 亿美元。《福布斯》称帕兰提尔的软件是"杀手软件"，因为谣传它帮助美国政府找到了奥萨马·本·拉登。

对于操作细节，我无可奉告，但可以说仅凭人类智慧或计算机，并不足以保证我们的安全。美国两个最大的情报机构使用的方法截然不同：中央情报局倾向于用人，而国家安全局倾向于使用计算机。中央情报局的分析师要排除的干扰太多，很难识别严重的威胁。国家安全局的计算机处理数据的能力很强，但机器自己不能鉴别是否有人在策划恐怖行动。帕兰提尔致力于克服这两种缺陷：运用帕兰提尔的软件分析政府提供的数据（比如，也门极端主义教士的通话记录、与恐怖活动关联的银行账户），然后标记出可疑活动，供训练有素的分析师审核。

除了帮助查找恐怖分子，使用帕兰提尔的软件，分析师还可预测阿富汗的叛乱分子放置爆炸装置的地点；起诉引人注目的内幕交易案件；打击全球最大的儿童色情团伙；支持疾病控制预防中心对抗食源性疾病的爆发；通过先进的诈骗检测软件，可以使商业银行和政府每年减少上亿美元的损失。

先进的软件为此提供了可能性，但更为重要的是人类分析师、检察官、科学家、金融专家，没有他们的积极参与，软件毫无用处。

想想如今专家的工作内容。律师必须用不同方式讲述棘手问题的解决方案——依据委托人、对方律师、法官等谈话对象的改变，变换说辞。医生要有能力与非专家的普通病人沟通诊疗结果。好老师也不只是精通自己教授的学科知识，他们还必须了解如何根据学生的兴趣和学习方式调整教学方法。计算机或许可以执行部分任务，但不能有效加以整合。法律、医疗、教育领域的先进技术不能替代专家，只能帮助专家做得更好。

这正是领英公司协助招聘专员做的事。领英在 2003 年创立时，既没有征求招聘专员的意见，以找到需要改进的地方，也没有编写完全替换招聘专员的软件。招聘工作一半是侦探工作一半是推销工作，招聘专员需要仔细审核应聘者经历、评估其动机和适应能力、说服最优秀的人才加入团队。让计算机高效地完成所有工作是不可能的，因此领英从改变招聘专员的工作方式入手。现在，超过97%的招聘专员使用领英的网络，运用其强大的搜索过滤功能筛选应聘者，该网也为数亿个使用它来管理个人品牌的专家创造了价值。如果领英公司只是用技术取代招聘专员，那么它不会形成今天的规模。

对计算机科学的认识

为什么如此多的人忽视与计算机互补的力量？这要从学校教育谈起。软件工程师致力于开发取代人力的项目，这是他们的职责所在。学者通过专业研究扬名立万，他们的主要目标是发表论文，而发表意味着尊重特定学科的界限。对计算机科学家来说，则意味着让人类的功能减少到只限于完成特殊任务，而计算机经训练后可将各项任务一一完成。

在当今计算机科学最前沿，"机器学习能力"这一词语激起

第12章

人类和机器

了机器代替人类的幻想，其宣扬者似乎相信只要输入足够的训练资料，计算机就可以执行任何任务。网飞公司（Netflix，网络影视光盘租赁公司）和亚马逊的用户亲身体验了计算机学习的效果：两家公司都依据消费者浏览及购买的历史，运用特定算法来推荐产品。输入的数据越多，得到的建议就越好。谷歌翻译也是如此，它支持80种语言的翻译，虽然粗糙，但勉强可用，这并不是软件懂得语言，而是它能对巨大语料库的文本进行统计分析，提取句型。

另一个体现机器会取代人类的倾向的流行语是"大数据"。如今的公司对数据情有独钟，它们错误地认为数据越多，能创造的价值就越多。但大数据通常都是沉默的资料，计算机能找到人类没有注意到的模式，但无法比较不同资料来源整理出来的模式，也不能用这些资料解释人类复杂的行为。可行的见解只有人类分析师（或者说那种只存在于科幻小说中的人工智能）才能给出。

我们痴迷于大数据仅仅是因为觉得科技很奇特。我们为计算机单独取得的一些小成就而惊叹，却忽视了人类在计算机的辅助下取得的巨大进步，因为人类的参与淡化了其神秘性。沃森、深蓝电脑和越来越厉害的算法虽然很酷，但未来最有价值的公司肯定不是靠计算机单独解决问题，而是关注计算机如何才能帮助人类解决难题。

聪明的计算机：是敌，还是友

计算机运算的未来充满了未知。像Siri（苹果手机语言助理）和沃森这些预示着未来趋势的越来越高明的机器人智能，越来越普及；一旦计算机能回答我们的所有问题，它们就可能会问，为什么它们要完全屈从于我们？

替代派思维的逻辑终点是"强大的人工智能"：计算机使得人类在每个重要领域黯然失色。当然，勒德分子被这种可能性吓坏了。这甚至让未来学家也心神不宁，因为还不确定强大的人工智能会拯救人类还是会毁灭人类。技术应该增加人类对自然的控制力，减少人类生活中的偶然性；建造聪慧过人的计算机一定是利弊参半。强大的人工智能就像宇宙彩票：我们赢了，得到理想国；我们输了，被天网（Skynet）取代。

但即使强大的人工智能不是不可预测的谜团，而有真实存在的可能，那个时代也不会很快到来：被计算机取代是 22 世纪人类该担忧的问题。对遥远未来的不确定的恐惧不应阻止我们现在制订明确的计划。勒德分子认为我们不应该制造未来可能取代人类的计算机，狂热的未来学家则持相反的观点。这两种观点相互排斥，但不能代表所有的观点：在这两个极端之间还有巨大的空间，未来几十年，理智的人可以建设美好的世界。我们在计算机使用上的创新，不仅能够帮助人类做好已有工作，还能帮助人类做到之前不可想象的事情。

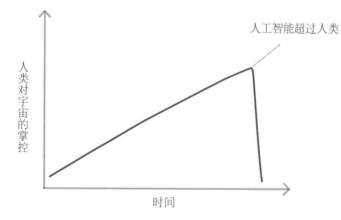

图 12-1　强大的人工智能的未来发展

ZERO TO ONE

NOTES ON STARTUPS,
OR HOW TO BUILD THE FUTURE

———————

第 13 章

绿色能源与特斯拉

21 世纪初，人们一致认为接下来的大事件是清洁技术。这必然如此：因为在北京，雾霾非常严重，建筑物间的能见度很低——连呼吸都威胁着健康。孟加拉国，遭受着含砷井水的侵害，《纽约时报》称之为"史上最大的集体中毒事件"。在美国，艾琳和卡特里娜飓风被认为是全球变暖灾难来临的预兆，美国前副总统戈尔呼吁我们解决这些问题：局面如同大战在即一般紧急，必须马上付诸行动。人们开始忙碌起来，企业家们开办了成千上万的清洁技术公司，投资者投入了 500 多亿美元。清洁世界的探索由此开始。

但这些投资徒劳无功。我们创造出一个巨大的清洁技术泡沫，而非健康有益的世界。美国太阳能板生产商 Solyndra（索林卓）公司倒闭成为最知名的绿色幽魂，但多数清洁技术公司遭遇了相同的结局——仅 2012 年一年倒闭破产或申请破产保护的太阳能制造商就有 40 多家。新能源公司的主要指标表明了泡沫正在快速破灭（见图 13–1）。

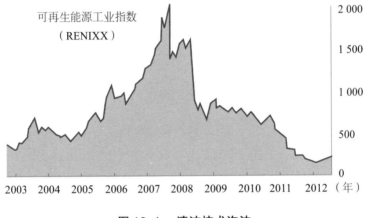

可再生能源工业指数（RENIXX）

图 13-1　清洁技术泡沫

为什么清洁技术惨遭失败？保守派认为他们已经知道了答案：一旦绿色能源成为政府要务，整个产业就一定会被扭曲。但过去有理由（现在也同样有理由）使能源成为重中之重。清洁技术失败的实际情况远比政府失灵复杂得多，也重要得多。多数能源公司折戟是因为至少忽略了以下 7 个问题之一，而这些问题是每个公司必须回答的：

1. 工程问题:

   你的技术具有突破性,而不仅仅是稍有改进吗?

2. 时机问题:

   现在开创事业,时机合适吗?

3. 垄断问题:

   开创之初,是在一个小市场抢占大份额吗?

4. 人员问题:

   你有合适的团队吗?

5. 销售问题:

   除了创造产品,你有没有办法销售产品?

6. 持久问题:

   未来10年或20年,你能保住自己的市场地位吗?

7. 秘密问题：

你有没有找到一个其他人没有发现的独特机会？

我们之前已经讨论过这些因素。无论从事哪个行业，成功的企业规划都必须解决这些问题。若你不能给出好的答案，便会厄运连连，最终公司倒闭。若7个问题你都能解决好，那你一定会获得成功。即使只解决好五六个问题，你也能取得成功。然而，清洁技术泡沫的明显问题在于清洁技术类初创公司创办时没有回答好上述任何一个问题——这意味着期待奇迹的出现。

很难确切解释某一清洁技术公司失败的缘由，因为几乎所有的公司都犯了几个严重的错误。而任何一个错误都足以毁掉公司，所以值得仔细回顾其失败的原因。

工程问题

优秀的技术公司，其拥有的专有技术应该比最相近的技术高一个数量级。但清洁技术公司的产品鲜有两倍的改进，更别说

10倍了。有时，它们的产品其实比原有产品还要糟糕。Solyndra公司开发了一种新型的圆柱形太阳能电池，但是圆柱形电池的效用只有扁平电池的$1/\pi$——它们接受不到足够的直射阳光。公司试图通过镜子反射更多的阳光到面板底部来弥补这一缺陷，但很难挽回糟糕的开局。

公司必须力争做到10倍的改进，稍有改进对终端用户来说就是毫无改进。假设你开发了新的风力涡轮机，比现有技术的效率高20%——这是实验室数据——乍一听很好，但实验数据还要扣除新产品在实际市场中面临的生产成本以及风险。而且即使你的产品确实给顾客带来20%的改进，由于人们习惯了夸大其词的广告宣传，销售该产品时，你也一定会受到质疑。只有10倍的改进，你的产品才能给客户带来明显的优势。

时机问题

清洁技术公司的企业家努力工作，以说服自己他们的时代已然到来。SpectraWatt的首席执行官安德鲁·威尔逊2008年宣布建立新公司时，表明"太阳能产业就像是 20 世纪 70 年代末的微处理器，还有很多有待解决和改善的地方"。后半句是对的，但是关于微处理器的类比却错得离谱。自从 1970 年第一台微处理器问世，计算技术不仅是飞速发展，而是呈指数级发展。表 13–1 是英特尔早期产品的开发史，就呈现出这样的进展。

表 13–1　英特尔早期产品的开发史

代	处理器型号	年份
4 比特	4004	1971
8 比特	8008	1972
16 比特	8086	1978
32 比特	iAPX 432	1981

相比之下，1954 年贝尔实验室发明的第一块硅太阳能电池，比威尔逊发布新闻稿的时间早了半个多世纪。相差的这几十年间，光电的转换效能虽有进展但速度缓慢：贝尔的第一块太阳能电池只有 6% 的转换效能，当今的晶体硅电池和现代薄膜电池在此领域都未能超过 25% 的转换效能。在 2000 年年中，还没有工程技术的发展能够预示新的飞跃即将到来。进入缓慢发展的市场是不错的策略，但是只有你有明确可行的计划来抢夺市场才行。那些失败的清洁技术公司显然毫无准备。

垄断问题

2006 年，技术投资家、亿万富翁约翰·杜尔宣称："绿色（科技）是新的红、白、蓝。"（红、白、蓝为美国国旗的颜色，开发绿色能源为爱国表现。）他这句话应该以代表流血牺牲的"红色"结束。正如杜尔自己所说："如果网络市场的规模是 10 亿美元级别，那么能源市场的规模就是万亿美元级别。"他未提及这个巨大的万亿市场还意味着残酷无情、血腥残忍的竞争。其他人不断对杜尔的观点进行附和：仅 21 世纪的前 10 年，我就听过几十个清洁技术公司的企业家怀着难以置信的乐观态度用精美的PPT 展示这个万亿市场看似真实的故事——好像这是好事一样。

清洁技术公司的高管们强调能源市场很大，足以满足所有的进入者，但是每个人都认为自己的公司自有优势。2006 年，太阳能制造公司 MiaSolé 的首席执行官戴夫·皮尔斯面对国会小组时，承认自己的公司仅仅是为数不多的"非常强大的"初创公司之一，这些公司全部致力于特种薄膜太阳能电池的开发。而几分钟后，皮尔斯大胆预言 MiaSolé 将在一年内成为"全球最大的薄膜太阳能电池生产商"。这一预言并未实现，而且也不可能对他们有所帮助：薄膜电池只是众多太阳能电池的一种。只有某种技术极为高效地解决了某一特定问题，消费者才会有所关注。如果你不能就垄断小市场拿出独特的解决方案，就无法摆脱恶性竞争。这就是发生在MiaSolé公司身上的事情，2013年MiaSolé被收购时，成交价为几亿美元，比当初投资人投入的金额还少。

夸大独特性并不能解决垄断问题。假设你经营一家太阳能公司，成功地安装了成百上千的太阳能电池板系统，其总产能为100兆瓦。由于整个美国的太阳能总产能为950兆瓦，你自身就占有10.53%的市场份额。祝贺你，你可以告诉自己：你是个玩家了（见图13–2）。

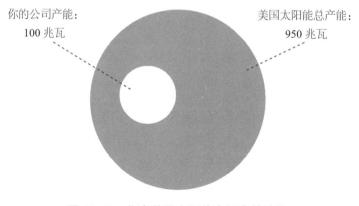

你的公司产能：　　　　　　　　　　　美国太阳能总产能：
100 兆瓦　　　　　　　　　　　　　　　950 兆瓦

图13-2　你在美国太阳能市场中的地位

如果美国太阳能市场不是合适的市场会怎样呢？合适的市场是总产能为 18 千兆瓦的全球太阳能市场会怎样呢？你的 100 兆瓦现在变成了很小的份额：突然你的市场占有率还不到 1%（见图 13-3）。

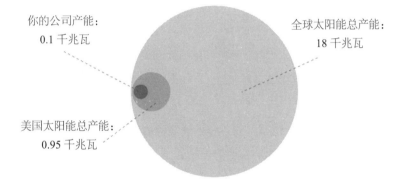

你的公司产能：
0.1 千兆瓦

全球太阳能总产能：
18 千兆瓦

美国太阳能总产能：
0.95 千兆瓦

图 13-3　你在全球太阳能市场的地位

如果恰当的比较标准不是全球太阳能市场，而是整个再生能源市场又会怎样呢？全球再生能源市场的总产能是 420 千兆瓦，你的市场份额跌落到了 0.02%。相较于全球全部能源的总产能 15 000 千兆瓦，你的 100 兆瓦仅仅是沧海一粟（见图 13-4）。

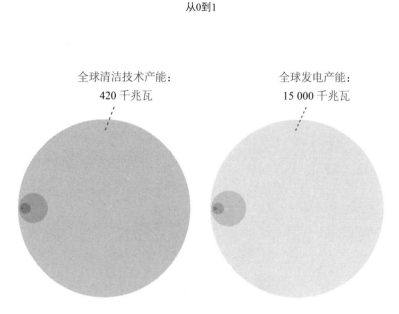

图 13-4　你在全球能源市场的地位

　　清洁技术公司的企业家对市场的认识简直是无药可救的混乱。他们故意把市场形容得比较小，所以看起来有所区分，但又反过来要求基于利润可能丰厚的巨大市场来对其进行估值。但你无法垄断一个用修辞虚构出来的小市场，而大市场又竞争激烈，不容易脱颖而出。大多数的清洁技术公司创始人如果在帕洛阿尔托开办新的英式餐厅，境况可能会比现在好得多。

人员问题

能源问题属于工程问题，因此你可能以为工程技术人员在经营清洁技术公司。你错了，失败的公司是由非技术人员经营的。这些销售型高管们擅长募集资金、拿到政府补贴，但他们拙于创造顾客愿意购买的产品。

在创始人基金公司，我们看到这样的情况。最明显的线索是衣着：清洁技术公司的高管们西装革履地到处跑。这是一个危险信号，因为真正的技术人员穿T恤和牛仔裤。由此我们设定了一个基本规则：排除那些创始人西装革履地参加销售会议的公司。如果我们花时间来仔细评估每个公司的技术，或许我们能避免不良投资。但是团队洞见——绝不给首席执行官西装革履的技术公司投资——让我们更快地明白了真相。最佳销售总是深藏不露。擅长销售的首席执行官没有什么不对，但如果他的确看起来像销售员，那么他很可能拙于销售，更不擅长技术问题。

销售问题

清洁技术公司全力迎合政府和投资者，却忽略了消费者。它们吃过苦头才明白现实跟实验室不一样：销售和物流至少和产品本身一样重要。

问问以色列电动汽车初创公司Better Place就知道，它在2007~2012年筹集并花费了8亿多美元，打造电动汽车的可更换电池组和充电站。该公司力求"创造绿色可替代技术，减少对高污染运输技术的依赖"。它确实说到做到——至少卖出了1 000辆汽车，这是申请破产前的销售量。能售出这么多，也算是一大成就，因为这些车很难被客户接受。

首先，你并不能确定你买的究竟是什么。因为Better Place从雷诺公司买进箱式轿车，然后改装上电池组和电动机。所以，你是在买电动雷诺车，还是Better Place的电动车？无论怎样，你决定买车时，还有一大堆麻烦事要做。第一是要取得Better Place的核准。为此，你需要证明住所离Better Place的电池更换站足够近，并保证按照可预测的路线行进。如果通过这一关，你还要签署为汽车充电的充电协议。然后，你才能开始学习在路上停下来更换电池的方法。

Better Place认为其技术本身就可以打开销售渠道，因此没有认真去推销其产品。反思公司的失败，一位沮丧的顾客问道："为什么特拉维夫市没有展示价值16万谢克尔的丰田普瑞斯的广告牌，并放上这辆车的照片，且强调此车型4年充电需16万谢克尔？"不过他仍然买了一辆，和大部分人不同，他是"无论如何都会一直开这种车"的爱好者。但很遗憾，他开不了了，因为Better Place董事会于2013年仅以1 200万美元变卖公司资产时宣称："我们成功地攻克了技术难关，而未能跨越其他障碍。"

持久问题

每个企业家都应该计划做自己特定市场的坚守者。一开始就要先自问：10年、20年后世界会是什么样的？我的公司如何才能与之相适应？

很少有清洁技术公司能给出好答案，结果它们的结局相似。2011 年申请破产前的几个月，常青太阳能公司（Evergreen Solar）对关掉美国某分工厂的决定做出了解释：

> 中国的太阳能制造商获得了政府和财政的大力支持……尽管我们的产品成本……已低于原计划水准，也低于多数西方制造商，但仍然高于中国的低成本竞争对手。

但是直到 2012 年，"指责中国"的声音才响成一片。美国能源部支持的盛产太阳能公司（Abound Solar）在谈到其破产申请时，指责"中国太阳能电池板的侵略性定价行为使得早期的初创公司很难……在现有市场条件下发展"。太阳能电池板制造商能源转换设备公司（Energy Conversion Devices）在 2012 年破产时，不仅仅在发布会上指责中国，而且针对中国 3 个主要的太阳能制造商提起诉讼，索赔 9.5 亿美元——同年后期，Solyndra 公司的破产管理人以企图垄断、勾结以及掠夺性定价为由起诉了这 3 家公司。但是中国制造商的竞争真的难以预料吗？清洁技术公司的企业家应该先解决好持久问题并自问：怎么才能阻止中国抢走我们的生意？若没有答案，那么结局可想而知。

除了没有预料到生产相同绿色产品的竞争者外，清洁技术公司对整个能源市场的设想也被误导了。该行业建立在化石燃料已日暮西山，而液压破碎法（获取天然气的方法）还不成熟的基础上。2000年，美国只有1.7%的天然气来自于用液压破碎法开采的页岩气。5年后，该数据攀升至4.1%。然而，清洁技术公司没人认真对待这一趋势：可再生能源是前进的唯一道路，化石燃料未来不可能更加便宜或更加洁净。事实却并非如此。到2013年，页岩气占美国天然气的34%，2008年天然气价格下降了70%多，摧毁了多数可再生能源的商业模式。液压破碎法可能也不是持久的能源解决方案，但它足以摧毁未能预料到其出现的清洁技术公司。

秘密问题

所有的清洁技术公司都用"我们需要一个清洁的世界"这一传统真理来证明自己的价值。它们自欺欺人地认为社会对可替代能源势不可当的需求，意味着各种清洁技术公司巨大的商机。想想2006年以前，关于太阳能的这种乐观看法是如何的盛行。那年，布什总统预言"太阳能屋顶能使美国家庭自己发电"。投资者和清洁技术业者比尔·格罗斯声称"太阳能潜力无限"。太阳能制造商 Solaria 当时的首席执行官苏维·夏尔马承认虽然投资太阳能产业"有淘金的热情，也确实有金子——或者说阳光"，但是匆匆追赶潮流使许多太阳能电池板公司——Q-Cells 公司、常青太阳能公司、SpectraWatt 公司，还有格罗斯自己的能源创新公司（Energy Innovations）——迅速从光明的开端走向破产（这里只列举了少数几个例子）。每个失败者都运用被普遍认可的观念来描述自己的璀璨未来。但是伟大企业是构筑在秘密之上，这是它们取得成功的独特原因，而别人对此却一无所知。

公益创业的神话

清洁技术公司不只想追求多数企业定义的成功。清洁技术泡沫还是"公益创业"史上最大的风潮，也是最大的失败。这种行善的经商之道源于认为营利企业和非营利组织截然相反的想法：企业有很大的影响力，但受获利动机的控制；非营利组织追求公

第13章

绿色能源与特斯拉

共利益，却是更大经济体中的弱势玩家。公益创业旨在结合两者精华，并"借由做好事以促成功"，但通常两方面都做不到，最终以失败而告终。

将社会和经济目标混同，起不到任何作用。而"社会"一词的歧义就更成问题了：如果某事"就社会而言是好的"，那么它是对社会好呢，还是社会认为它是好的？不管是哪种好，好到能够赢得所有人喝彩的必然是很传统的共识，比如有关绿色能源的一般看法。

阻碍进步的不是企业的贪婪与非营利组织的善良之间的差异，而是做一样的事。企业往往互相效仿，非营利组织优先推动的事情也都相同。清洁技术公司揭示出了这个结果：几百种毫无差异的产品都是在同一个过于宽泛的目标下生产出来的。

做些与众不同的事情才是真正有益于社会，也是企业通过垄断新市场赢利的方式。最好的项目可能是人们忽视的项目，或没有大肆宣扬的项目；最好的问题是无人尝试解决的问题。

特斯拉如何脱颖而出？

在过去 10 年间建立、如今依旧欣欣向荣的清洁技术公司屈指可数，特斯拉就是其中之一。该公司对清洁科技这一社会热潮驾驭得比其他公司要好，它成功解决了如下 7 个问题，因此其成功对我们颇有教益：

Solyndra公司首席执行官　　　特斯拉汽车公司首席执行官
布莱恩·哈里森　　　　　　　埃隆·马斯克

图 13-5　清洁技术的输家与赢家

技术。特斯拉的技术很先进，其他汽车公司都依赖于它：戴姆勒采用特斯拉的电池组，奔驰采用特斯拉的动力系统，丰田采用特斯拉的发动机。通用汽车公司甚至组建了特别小组追踪特斯拉的动向。但是特斯拉的巨大技术成就不是单个的零件或组件，而是将许多组件融合为优良产品的能力。特斯拉S型轿车，从车头到车尾设计得都很优雅，它不是只把所有零件组合起来而已：《消费者报告》对它的评价是有史以来最高的，《机车潮流》和《环球车谈》杂志称其为2013年度风云汽车。

时机。2009年，根据大环境很容易推测出政府会继续支持清洁技术公司："绿色工作"是政府要务，联邦基金早已指定要拨款，国会也看似要通过碳排放总量管制与碳交易方面的法案。当其他人认为巨额补贴将不断流入时，特斯拉首席执行官埃隆·马斯克看到的却是千载难逢的机会。2010年1月，也就是Solyndra在奥巴马执政期间爆出问题，并使补贴问题政治化的一年半以前，特斯拉成功地从美国能源局贷款4.65亿美元。在2000年年中，近5亿美元的资助是不可想象的，就算是现在也是不可想象的，而特斯拉抓住了那一稍纵即逝的时机。

垄断。特斯拉是从掌控小的次级市场起家的，即高端电动跑车市场。从2008年第一辆电动敞篷跑车（Roadster）下线，特斯拉的销量只有3 000台，但是按每台10.9万美元来算，就是个不小的数字。从小做起使特斯拉能够进行必要的研发，制造价格稍低的S型汽车，如今特斯拉依然拥有豪华电动轿车市场。2013年，特斯拉轿车销售量超过2万台，现在正处于扩大市场的关键时期。

团队。特斯拉的首席执行官是很棒的工程师，也是杰出的销售人员，因此，他建立的团队两者都很擅长，也就没什么可惊讶的了。埃隆如此描述他的员工："进入特斯拉，如同你选择进入特种部队。进入普通军队也很好，但在特斯拉工作，你就选择了接受挑战。"

销售。多数公司低估了销售，但特斯拉认真对待，它拥有自己完整的销售链。其他汽车公司依赖于独立的代理商，就像福特和现代虽然制造汽车，却依赖别人销售汽车。而特斯拉在自己的店里销售、维修自己的汽车。这种做法让特斯拉的先期成本高于传统的代理商，但是长远来看，它能掌控客户体验，强化特斯拉品牌，为公司节省资金。

持久。特斯拉有先行一步的优势，而且比其他公司发展更快——这也就意味着其领先地位在未来几年将会扩大。成为别人梦寐以求的品牌极为清楚地表明特斯拉已经有所突破：买车是人们一生中做出的重大购买决定之一，所以要赢得客户信任实属不易。不像其他汽车公司，特斯拉的创始人依然掌管着公司，因此公司发展的速度不会很快就慢下来。

秘密。特斯拉明白，在清洁技术领域里是时尚在激发关注。富人尤其想要显示出够"绿"，即使这意味着要驾驶四四方方的普瑞斯或笨拙的本田音赛特。想到有生态意识的电影明星也拥有这样的车，车主会觉得很酷。所以特斯拉决定制造使车主看起来酷酷的汽车，莱昂纳多·迪卡普里奥甚至将他的普瑞斯换成了昂贵的（看似昂贵的）特斯拉电动跑车Roadster。普通的清洁技术公司围绕差异化进行竞争时，特斯拉则围绕如下秘密打造出独特品牌：清洁技术与其说是环保必需的技术，不如说是一种社会现象。

能源 2.0

特斯拉的成功证明清洁技术的发展并没有问题。隐藏其后的大概念也没错：世界的确需要新能源。能源是主要资源，因为它关乎如何生存、如何建筑房屋、如何得到我们需要的东西使生活舒适。大多数国家的人梦想生活得和今天的美国人一样舒适，但除非开发新科技，否则全球化会带来越来越多严峻的能源挑战。世界上已经没有足够的能源来供人类重复旧技术，或者重新分配，以达到繁荣。

清洁技术给人们提供了一种对能源的未来保持乐观的方式。当无比乐观的投资者基于绿色能源的一般看法，将钱投给缺少独特经营计划的清洁技术公司时，泡沫就出现了。将 21 世纪最初 10 年可再生能源公司的市值标示出来，再对照纳斯达克（NASDAQ）10 年前网络泡沫期间的涨跌，你能看到相同的走势（见图 13-6）。

20 世纪 90 年代人们都认为：网络会兴盛起来。但太多的网络公司持有这一相同观点而无独到见解。企业家只有从微观入手提出自己的计划，才能从宏观的见解中获益。清洁技术公司面临

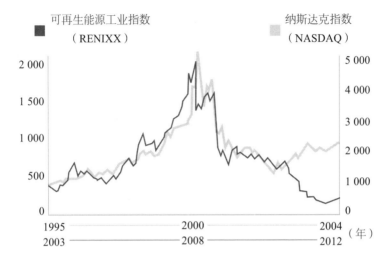

图 13-6　清洁技术泡沫与网络泡沫相似

相同的难题：无论能源如何稀缺，只有对特定问题拿出最佳方案的公司才能赢利。还没有哪个产业能重要到只要参与其中就能建立卓越的企业。

网络技术泡沫比清洁泡沫更大，泡沫破灭后造成的损失也更令人痛心。但是 90 年代人的梦想最终被证明是对的，而对网络将彻底改变出版业、零售业及日常生活持怀疑态度的人，在 2001 年看似有先见之明，今天却显得愚蠢可笑。Web 2.0 初创公司能够在网络公司的残骸上成功兴起，能源初创公司能否像它们一样，在清洁技术公司折戟后成功建立？对资源解决方案的总体需求依然存在，但是有价值的公司必须从找到利基市场并占有小市场起步。Facebook起初只是针对一个大学校园提供服务，然后才推广到其他学校，乃至全球。找到能源解决方案的小型市场并不容易——你可以致力于改变偏远岛屿以柴油为能源的现状，或者为敌对地区的军事设施进行快速部署建立模块化反应堆。看似矛盾的是，想要建立能源 2.0 公司，企业家面临的挑战首先是找到小型市场。

ZERO TO ONE

NOTES ON STARTUPS,
OR HOW TO BUILD THE FUTURE

———————

第 14 章

创始人的悖论

PayPal 的六个创始人中有四个在高中时期造过炸弹。当时，其中的五个人仅有 23 岁，甚至更年轻。四个人不是在美国本土出生的，其中三人来自社会主义国家或前社会主义国家：潘宇来自中国，卢克·诺塞克来自波兰，马克斯·列夫琴来自乌克兰。当时在那些国家制造炸弹可不是小孩子该做的。

我们六个被视为怪胎。我和卢克的第一次交谈是关于他为什么要签约参加人体冷冻的实验，即人死后将尸体冷冻，并期待未来医学进步可以起死回生。马克斯自称无国籍，而且以此为傲，苏联解体，他们全家来到美国，其家人处于外交尴尬境地。拉斯·西蒙斯原以停在公园里的拖车为家，后来进入伊利诺伊州的理工学校。只有肯·霍威利有着美国孩子的优渥童年：他是 PayPal 唯一的鹰级童子军。但是肯的同学认为他加入我们是疯狂的，况且薪水只有聘用他的那家大银行的 1/3。所以他也并不完全正常。

所有的创始人都特立独行吗？或者我们只记住或夸大了创始

由左至右分别为肯·霍威利、马克斯·列夫琴、潘宇、拉斯·西蒙斯、彼得·蒂尔、卢克·诺塞克

图 14-1　1999 年的 PayPal 团队

人身上那些最独特的地方？更重要的是，创始人身上哪些个人特质是帮助他们成功的？本章将讨论为何由特立独行的人领导公司比普通的经理领导公司更为有力，同时也更为危险。

特立独行的个性是驱动公司进步的引擎

有些人强壮，有些人虚弱，有些人天赋异禀，有些人愚笨无知，但大多数人处于两个极端之间。画出人们所处的位置，就可以看见一条钟形曲线（见图14–2）。

由于众多的创始人看似拥有极端特质，你也许会猜测表现创始人特质的曲线分布图的两个尾端会宽一些，因为两端的人多（见图14–3）。

但那并未捕捉到创始人最为奇特的一面。通常，我们认为对立的特质互相排斥，例如，一个人不可能既贫穷又富有，但这常常发生在创始人身上：初创公司的首席执行官名义上是百万富翁，手里却没有现金。他们有时愚不可及，有时魅力四射。几乎所有成功的企业家既是局内人又是局外人。当他们成功时，外界

ZERO TO ONE

从0到1

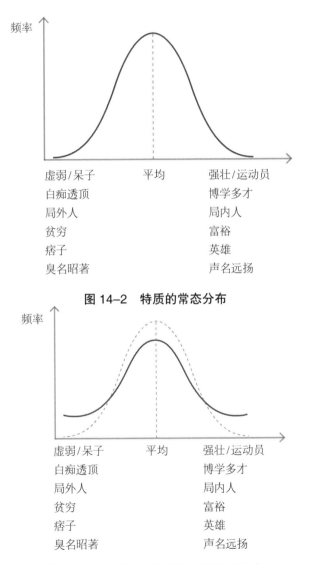

图 14-2　特质的常态分布

图 14-3　大家以为的创始人的特质分布

236

对他们褒贬不一。如果把创始人的特质以曲线展示，出现的是与
常态分布完全相反的倒钟形曲线（见图14–4）。

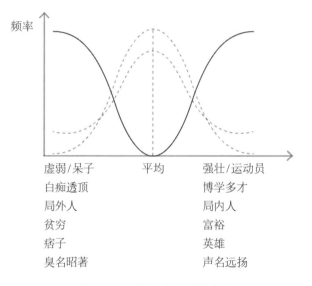

虚弱/呆子	平均	强壮/运动员
白痴透顶		博学多才
局外人		局内人
贫穷		富裕
痞子		英雄
臭名昭著		声名远扬

图 14–4　创始人特质分布图

这种奇特极端的特质组合从何而来呢？可能天生具有（天然
的），或从环境中获得（后天的）。但是，创始人事实上并不像他
们所表现的那么极端。或许他们巧妙地夸大了某种特质？或者可
能是其他人夸大了他们的特质？这些影响可能会同时显现，而且
不管何时显现，相互之间都会彼此强化。循环开始于不同寻常之
人，最终这些人会表现得更加非比寻常（见图14–5）。

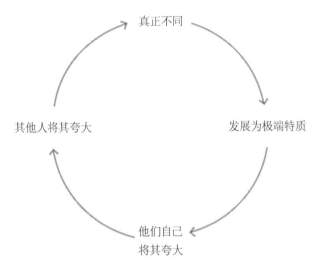

图 14-5　创始人极端特质的来源

比如维珍集团的创始人，亿万富翁理查德·布兰森爵士，他是天生的商人：16 岁时他首次创业，年仅 22 岁时创立了维珍唱片公司（Virgin Records）。但他的其他特色——比如特有的狮子般的浓密长发——就不那么自然，有人怀疑他并非天生如此。布兰森的其他极端特质养成之时（和衣着暴露的超模一起玩儿"风筝冲浪"是公关策略吗？还是只是寻欢作乐？抑或是一举两得？），媒体迫不及待地开始推崇他为"维珍之王"、"不容置疑的公关之王"、"品牌之王"以及"沙漠和天空之王"。当维珍大西洋航空为乘客提供含冰饮料（冰块形似布兰森头像）时，他成了"冰块之王"。

图 14-6　公关之王理查德·布兰森

难道布兰森只是普通商人，只不过恰巧有优秀的公关团队帮助才被媒体追捧吗？或者他本身就是天生的品牌天才，并赢得了记者关注（因为他很擅长操控记者）？很难说清楚，或许两者兼有吧。

另一个例子是肖恩·帕克。他从极端的局外人身份——罪犯开始。肖恩高中时是小心谨慎的黑客，但是他父亲认为16岁的肖恩在电脑上浪费的时间太多了，所以有一天他拿走了肖恩的键盘。因此肖恩无法退出登录，而被联邦调查局发现，很快联邦探员逮捕了他。

肖恩轻易脱身，因为他是未成年人。如果说有什么影响，那就是这个小插曲鼓励了他。三年后，他与人合作创办了纳普斯特公司。这一点对点文件共享服务公司在第一年就赢得了数以千万计的用户，成了有史以来成长最快的公司之一。但是唱片公司联合提起诉讼，联邦法官下令关闭了纳普斯特公司，它只维持了20个月。在中心兜兜转转之后，肖恩重新做回局外人。

然后Facebook出现了。2004年肖恩和马克·扎克伯格相遇，他帮助马克洽谈了Facebook的首笔融资，并成为该公司的创始人兼总裁。2005年，他因被指控吸毒而辞职，这虽然让他名声受损，但同时也更受关注。贾斯汀·汀布莱克在电影《社交网络》中扮演了肖恩，剧中的肖恩被刻画成一个极为冷酷的美国人。虽然贾斯汀·汀布莱克声名更大，但是他造访硅谷时，人们却会问他是不是肖恩·帕克。

世界上最为著名的人许多都是创业者——他们不见得创立企业，但是每个名人都在建立并培养自己的个人品牌。比如

Lady Gaga是最具影响力的当代人物之一。但这真的是她吗？她的本名不是秘密，但是几乎无人知晓或者说没人在意。她着装奇特，若是其他人穿上同样的服装会被当成精神病患者。Lady Gaga使人相信她"生来如此"——与她的第二张专辑和最佳单曲同名。但没人天生长得像个僵尸，头上还有两个犄角，因此，Lady Gaga必定是个自我创造的神话。那么哪类人会这样装扮自己呢？当然是不同寻常的人。因而Lady Gaga或许确实生来如此吧。

肖恩·帕克　　　　　　　　Lady Gaga

图 14-7　特立独行的个人品牌

王者从何而来

极端的创业者形象在人类世界里早就出现了。经典神话里这样的人物比比皆是。俄狄浦斯就是典型的既为局内人又为局外人的例子：他是弃婴，颠沛流离到陌生国土，但同时他又是一位英明的国王，聪明机智，破解了斯芬克斯之谜。

罗穆卢斯和雷穆斯出身高贵，却被遗弃。他们发现自己的皇族血统后，决定建一座城池，但对选址问题他们意见不一。雷穆斯跨越罗穆卢斯确定的罗马城边界时，罗穆卢斯杀了雷穆斯，以儆效尤，"这样以后就没人敢越城池半步了"。罗穆卢斯既是立法者，又是犯法者；既是违法的罪犯，又是缔造罗马的国王。罗穆卢斯既是局内人，又是局外人，在这一点上他是自相矛盾的。

普通人不会像俄狄浦斯，也不会像罗穆卢斯。但不论这些人在真实生活中是什么样，神话版本只记住了他们的极端特质。为什么在古代文化中，铭记非比寻常之人如此重要呢？

声名远扬之人与臭名昭著之人组成了大众情感宣泄的通道：他们因成功而被赞美，因灾难而被指责。远古社会面临一个最重要的基本问题：如果无法解决冲突，社会就会四分五裂。因此，当瘟疫、灾难、暴力斗争威胁和平宁静时，将骂名转嫁到所有人一致赞同的替罪羊身上对社会是有益的。

谁是合适的替罪羊？和创业者一样，替罪羊也是极端而又矛盾的人。一方面，替罪羊必须弱小，无力保护自己不受伤害；另一方面，作为能承受指责平息冲突的人，他又是社会中最强大的一员。

行刑前，人们像供奉神一样供奉替罪羊。阿兹特克人认为这些受害者是神仙下凡，他们要为之献祭。被杀害前的短暂时间里，替罪羊享受着锦衣玉食。这是君主制的根本：国王是人世间的神，每个神都是被谋害的国王。或许现代国王只是能够给自己延缓行刑的替罪羊。

美国王族

说到"美国王族"，应该就是名人吧。我们会将这个称号给予我们最喜爱的明星：埃尔维斯·普雷斯利是摇滚之王，迈克尔·杰克逊是流行乐之王，布兰妮·斯皮尔斯是流行乐公主。

摇滚之王
埃尔维斯·普雷斯利

流行乐之王
迈克尔·杰克逊

流行乐公主
布兰妮·斯皮尔斯

图 14-8 美国王族

第14章

创始人的悖论

他们一直享有这些称号，除非他们已名不副实。埃尔维斯在20世纪70年代时开始自毁，身体发胖，在卫生间里孤独离世。今天，其模仿者均大腹便便，而非细瘦精干。迈克尔·杰克逊从备受欢迎的童星变成了性格怪异、厌恶自己肤色、嗜毒成瘾的人，全世界都对其案件审理的细节津津乐道。布兰妮的故事最为戏剧化。她一举成名，少女时期就被捧为巨星。之后所有的事情都脱离了轨道：曝光的光头形象、暴食节食的丑闻、备受关注的孩子抚养权案件。她总是这样疯癫吗？还是因为媒体关注了她？或者她想借此炒作？

有些陨落的明星，死亡会给他们带来重生。许多著名音乐家死于27岁——例如摇滚女星詹尼斯·乔普林、吉他大师吉米·亨德里克斯、大门乐队主唱吉姆·莫里森、涅槃乐队主唱科特·柯本，这些"27俱乐部"成员因为死亡而被人们永远铭记。2011年加入该俱乐部之前，英国著名R&B歌手艾米·怀恩豪斯唱道："他们想让我戒毒，我说，'不，不，不'。"或许戒毒不够有魅力，因为它阻碍了通往永恒的道路。也许想要成为永远的摇滚之神，唯一的方法就是英年早逝。

前摇滚之王　　　　　　　前流行乐之王

埃尔维斯·普雷斯利　　　　迈克尔·杰克逊

前流行乐公主

布兰妮·斯皮尔斯

图 14-9　变调的美国王族

詹尼斯·乔普林　　　　　　　吉姆·莫里森

科特·柯本　　　　　　　　艾米·怀恩豪斯

图 14-10　英年早逝反而被人永远铭记的明星

我们就像对待名人一样，崇拜或贬低科技界创业者。霍华德·休斯从轰轰烈烈到隐居世外，算得上20世纪最富传奇色彩的科技创业者。他出生富有，却喜欢工程甚于奢侈品。11岁时，他建造了休斯敦第一台无线电发射机，一年后，他造出了该市第一台摩托车。30岁时，他制作的9部商业电影均在好莱坞处于技术前沿时取得成功。但使休斯更著名的还是他的航空生涯，他设计飞机，生产飞机，驾驶飞机。休斯在最高航速、最快跨洲飞行、最快环球飞行方面创造了世界纪录。

休斯喜欢飞得比别人高。他喜欢提醒别人自己只是个凡人，而不是希腊的神——这是凡人想和神媲美时的言论。他的律师曾在法庭上称："休斯不是一个能以常人标准衡量的人。"律师收人钱财、替人美言，但《纽约时报》称："从法官到陪审团，对此言人人赞同。"1939年他因航空成就被授予国会金质奖章，但他甚至没有去领奖——几年后，总统杜鲁门在白宫发现该奖章，并将其邮寄给休斯。

休斯的陨落始于1946年，当时他遭遇了第三次也是最严重的一次飞机失事。如果那时他去世了，将会流芳百世，成为美国史上最时尚、最成功的人士之一。但他活下来了——九死一生。他患上了强迫症，对止痛药上瘾，淡出公众视线，在自我强加的孤独隐居中度过了生命里的最后 30 年。休斯以前特意有些疯狂的时候，很少有人愿意打扰他这种疯狂的人。但当他有意的疯狂行为转变成真正的疯狂生活时，我们对他就会生出怜悯和唏嘘。

创业家霍华德·休斯　　　　　　疯子霍华德·休斯

图 14-11　创业家变疯子

最近，比尔·盖茨证明了被高度关注的成功可以带来高度集中的攻击。盖茨具备典型的创始人特质：他既是笨手笨脚的书呆子式的大学辍学生，一个局外人，又是全球最富有的局内人。他刻意选择怪异的眼镜以装扮得与众不同吗？还是由于无药可救的愚笨，怪异的眼镜选择了他？我们无从得知。但其独霸市场的地位毋庸置疑：2000年，微软的Windows占据操作系统90%的市场份额。那时，著名新闻主播彼得·詹宁斯可能会产生疑问："当今世界是比尔·克林顿重要，还是比尔·盖茨重要？我不清楚。这是个好问题。"

美国司法部没有止于这一问题，他们还展开了调查，并以"反竞争行为"为由起诉了微软。2000年6月法庭要求微软拆分。盖茨早在半年前就从微软首席执行官位置上退下来，被迫花费大量时间来应对法律威胁而非创造新技术。微软上诉，法庭撤回了拆分的判决，2001年微软和政府达成和解。但那时盖茨的对手已经成功阻止了他这位创始人全情投入地管理公司，微软由此进入相对低迷的时期。现在盖茨以慈善家而非技术专家闻名于世。

技术专家比尔·盖茨

慈善家比尔·盖茨

图 14-12　技术专家变成慈善家

王者归来

　　正当法律攻击结束了比尔·盖茨的主导地位，史蒂夫·乔布斯重回苹果，证明了其作为公司创始人无可替代的价值。某种程度上，史蒂夫·乔布斯和比尔·盖茨截然相反。乔布斯是艺术家，更喜欢较为封闭的体系，花时间构思超越别人的优秀产品；盖茨则是生意人，保持产品的开放性，想要主导世界。但他

们都既是局内人又是局外人，都创立了自己的公司，并推动其取
得了无人能及的成就。

年轻时的乔布斯　　　　　　　　中年时的乔布斯

图 14-13　无可取代的创业家

从大学辍学的乔布斯常常光着脚走路，也不洗澡，但他也是
受人崇拜的局内人。他可以魅力十足，也可以疯狂无比，或许由
其心情而定，或许由其谋略而定；餐餐只吃苹果的怪习很难说不
是大策略的一部分。1985 年这些怪诞行为却适得其反：乔布斯
与被请来督导公司的职业首席执行官发生冲突后，苹果董事会将

乔布斯逐出了他自己的公司。

12年后乔布斯重返苹果，证明了为何公司的第一要务——创造新价值——不能简化为公式，交由职业经理人照章执行。1997年他被任命为苹果的临时首席执行官，而之前无可挑剔、备受信赖的前任首席执行官差点儿使公司濒临倒闭。那一年，迈克尔·戴尔评论苹果的名言是："换成我会做什么？我会关闭公司，然后将钱退还给股东。"相反，乔布斯推出了iPod音乐播放器（2001年）、iPhone手机（2007年）、iPad平板电脑（2010年）。2011年，他因身体状况不得不辞职。2012年，苹果成为全球最有价值的公司。

苹果的价值主要依赖于某个人的个人愿景。这表明公司创造新技术所运用的这种奇怪方式通常与封建君主制很像，而不是我们想象中的更"现代"的组织。独树一帜的创始人能做出权威决策，激发员工强烈的忠诚度，提前做出未来几十年的规划。自相矛盾的是，由训练有素的专业人士组成的毫无人情味的官僚机构虽能够长久持续下去，却鼠目寸光。

公司应该汲取的教训是企业离不开创始人。对于创始人看似极端怪异的行为，要有更大的容忍度，我们需要靠非同寻常的人来领导公司，取得大的飞跃，而非限于小的进步。

创始人应该汲取的教训是不要沉醉于自己的声望和他人对自己的追捧，否则，会使自己臭名远播，或是被妖魔化——因此，要小心行事。

总而言之，不要高估自己的个人能力。创始人的重要性并非源于自身工作带来的价值，事实上，优秀的创始人能使公司的每个人发挥所长。我们需要独特的创始人并不意味着我们需要崇拜美国小说家安·兰德笔下那些不依赖周围任何人的"行动领导者"。在此方面，兰德只能算是半个好作家：她笔下的恶棍是真实的，但英雄是虚构的。现实生活中没有代表自由主义社区的高尔特峡谷，人也无法脱离社会。相信自己具有不依赖他人的神圣能力并不能表明个体的强大，而是表明你把人们的崇拜或嘲弄错认为事实。创始人最大的危险是对自己的神话过于肯定，因而迷失了方向。同样，对于公司，最大的危险是不再相信创始人的神话，错把不信神话当作一种智慧。

停滞不前，还是临近奇点

　　如果连最高瞻远瞩的创业者都无法规划未来二三十年的事情，对遥远的未来还有什么可说的呢？我们无法预知具体的细节，但可以勾勒出大致的轮廓。哲学家尼克·博斯特罗姆描述了人类的未来可能出现的四种模式。

　　模式一：古人认为历史是兴衰的不断更替。直至最近，人们才敢于期待永远避免灾难，但还是怀疑我们视为理所当然的稳定能否持续。

　　模式二：然而，我们常常抑制自己的怀疑。保守派的观点

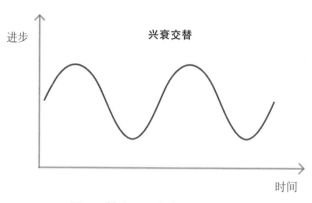

图1　模式一：未来将兴衰交替

迥然相反，他们认为全世界会融合，最终达到一个稳定发展的状态，类似于今天最富有国家的生活。在这一情景下，未来与现在很相像。

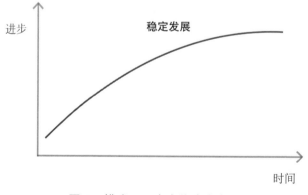

图2　模式二：未来将稳定发展

模式三：考虑到当今世界紧密相连的地理环境，以及现代武器史无前例的破坏力，能否阻止大规模的社会灾难发生，是必须要问的问题。以下是第三种情景，这是件令人恐惧的事情：毁灭性的衰落，我们无法幸免于难。

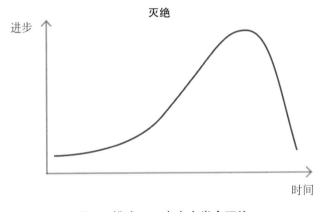

图 3　模式三：未来人类会灭绝

模式四：最后一种可能是最难想象的：加速腾飞，奔向更美好的未来。这种突破可以有多种形式，但任何一种都与现在大相径庭，因而无法描述。

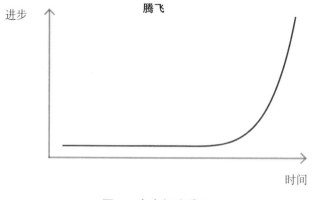

图4 未来加速腾飞

未来会是这四种模式的哪一种呢？

周而复始的衰落是不可能的：构成文明的知识体系如今传播甚广，以至于完全的毁灭相比长期黑暗之后的光明重现更为可能。如果彻底衰落了，人类就没有未来可言。

如果我们将未来定义为看起来和现在不同的时代，那么多数人根本不会期待未来；相反，他们期待未来几十年能更加全球化、更为融合、更加相像。这种情景下，贫穷国家会迎头追上富裕国家，全球经济会稳定发展。但即使真正的全球化稳定发展是可能的，它能够持久吗？最佳状况是，经济竞争对每个人、每个公司而言都将史无前例的激烈。

结　语

停滞不前，还是临近奇点

然而，加上对稀有资源的争夺，我们很难看到全球稳定能够无限存续。没有新技术来消除竞争压力，停滞很可能爆发为冲突。万一爆发全球范围的冲突，停滞最终会演变为灭绝。

以上忽略了第四种情景。在这一情景中，我们创造新技术，打造更加美好的未来。此结果最为戏剧化的版本被称为"奇点"，这是尝试设想有个强大到超越我们理解范畴的新技术。雷·库兹韦尔，最负盛名的奇点理论家，从摩尔定律开始，在众多领域追求指数级增长，坚信能够建立人工智能超越人脑的未来。根据库兹韦尔的说法，"奇点已经临近"，这是不可避免的，我们能做的就是做好接受的准备。

但无论有多少趋势可以追踪，未来都不是自行发生的。奇点描述的未来并不比我们今天面临的抉择重要：在两种最有可能发生的情景中做出选择，是无所作为，还是尽力而为，这取决于我们自己。我们不能理所当然地认为未来会更美好，而是要今天努力创造美好的未来。

我们是否在整个宇宙范围实现"奇点"或许不重要，重要的是我们是否能抓住独一无二的机会，在日常工作中创新。对我们——全宇宙、全球、全国、全公司、整个人生乃至此刻最为重要的是——独特。

我们当下的任务是找到创新的独特方式，使得未来不仅仅与众不同，而且更加美好，即从 0 到 1。最重要的第一步是独立思考。只有重新认识世界，如同古人第一眼看见这个世界一样新奇，我们才能重构世界，守护未来。

ZERO
TO
ONE

NOTES ON STARTUPS,
OR
HOW TO BUILD THE FUTURE

致　谢

感谢吉米·卡尔特拉德帮我理清了此书的脉络。

感谢罗布·莫罗、斯科特·诺兰和迈克尔·索拉纳，在斯坦福大学开设了这门课，才会有此书的诞生。

感谢克里斯·帕里斯-兰姆、蒂娜·康斯特布尔、戴维·德雷克、塔利亚·克龙、杰里迈亚·霍尔在出版此书方面给予的指导。

感谢每一位在蒂尔资产管理公司、创始人基金公司、Mithril公司和蒂尔基金努力工作，并表现出色的各位同人。

ZERO
TO
ONE

NOTES ON STARTUPS,
OR
HOW TO BUILD THE FUTURE

插图版权声明

本书插图由马特 · 巴克（Matt Buck）依据以下的照片资料绘制。